CARTAS DE UM TERAPEUTA PARA SEUS MOMENTOS DE CRISE

Alexandre Coimbra Amaral

CARTAS DE UM TERAPEUTA PARA SEUS MOMENTOS DE CRISE

PAIDÓS

Copyright © Alexandre Coimbra Amaral, 2020
Copyright © Editora Planeta do Brasil, 2020
Todos os direitos reservados.

Preparação: Juliana de A. Rodrigues
Revisão: Renata Mello e Thiago Fraga
Diagramação: Vivian Oliveira
Capa: Filipa Damião Pinto | Foresti Design

Dados Internacionais de Catalogação na Publicação (CIP)
Angélica Ilacqua CRB-8/7057

Amaral, Alexandre Coimbra
 Cartas de um terapeuta para seus momentos de crise/ Alexandre Coimbra Amaral. -- São Paulo: Planeta do Brasil, 2020.
 192 p.

ISBN 978-65-5535-107-1

1. Não ficção 2. Psicologia 3. Emoções I. Título

20-2304   CDD 158.

Índices para catálogo sistemático:
1. Não ficção

Ao escolher este livro, você está apoiando o manejo responsável das florestas do mundo e outras fontes controladas

2025
Todos os direitos desta edição reservados à
EDITORA PLANETA DO BRASIL LTDA.
Rua Bela Cintra, 986 – 4º andar
01415-002 – Consolação
São Paulo-SP
www. planetadelivros. com. br
faleconosco@editoraplaneta.com.br

*Para meus pais, Gilberto e Rosângela,
de quem tento aprender a alquimia
do encontro da humildade com a simplicidade.*

*Para Dany,
companheira de décadas que se confundem no tempo
como vidas inteiras, que com um olhar e algumas palavras
sempre fez brotar as melhores cartas para mim mesmo.*

*Para Luã, Ravi e Gael,
filhos que reescrevem o texto da minha
identidade, deixando a certeza de que,
antes deles, eu vivia apenas o rascunho de mim.*

PREFÁCIO

As palavras têm incrível poder, especialmente o fantástico poder da cura. E essa capacidade terapêutica da palavra não reside somente nas faladas, mas igualmente nas escritas, às quais se selecionadas com critério e na proporção exata, promovem o enriquecimento de nossas relações, especialmente a relação conosco mesmo. E isso nos oportuniza instigantes e ricas informações acerca de peculiaridades ainda não percebidas do nosso próprio eu.

Ao ser convidado pelo meu querido e amado amigo, Alexandre Coimbra, para a apresentação de seu livro, meu coração se encheu de imensa alegria e minha alma de enorme contentamento, pois embora tenhamos pouco tempo de conexão, tive o privilégio de perceber se tratar mais de um reencontro que propriamente um encontro. Além disso, me deparei com um ser humano doce, extremamente sensível, além de um ser humano atento, estudioso e disciplinado na busca incessante de aprimoramento. Fato esse que pode não ser percebido aos observadores mais afoitos. Sua gentileza de alma chama a atenção assim como sua erudição, o que é um feito, já que pessoas eruditas preferem mais ser notadas pelos seus conhecimentos que pelos seus sentimentos.

Alexandre é pura emoção com razão, e suas cartas são um chamamento lúcido, instigante e poético ao mesmo tempo. De tal modo que as palavras se unem num sedutor e amoroso convite que acalenta nosso corpo, desperta nossa mente e refrigera nossa alma.

Bem sabemos que, no texto de nossa história, as palavras, quando retiradas do contexto, perdem o sentido, e é o que muitas vezes fazemos conosco ao tentarmos nos escrever ou descrever. Somos tiranicamente tomados por um censor moral, um crítico feroz e contumaz que domina as palavras promovendo em nós mais dor que esperança. E nos tensos e desbussolados dias atuais, como os nossos, precisamos mais de bondade e doçura que de rigidez e julgamentos. Por isso, é admirável a destreza com que Alexandre Coimbra nos conduz a essa imprescindível viagem interna, atenuando os impactos e suavizando o inevitável e doloroso encontro com nosso eu.

Se permita olhar, se projetar, se perceber e se desnudar em cada carta. Depois que suas emoções se acalmarem, você poderá entender os porquês das diversas experiências de rejeição, perda, desamor, abandono, entre outras, que podem ter, provavelmente, escrito em você textos que precisam de uma releitura.

Neste livro cheio de beleza e de encantadoras metáforas, Alexandre nos convida à construção de um novo texto, no qual nossas dores emocionais, culpas e limitações possam ser vistas não como o capítulo final de nossa história, mas como os textos iniciais de uma vida repleta de possibilidades, promessas e significados.

Rossandro Klinjey, *escritor*

APRESENTAÇÃO

I. A CARTA SOBRE AS CARTAS

Oi, tudo bem? Muito prazer, eu sou Alexandre Coimbra Amaral, muito provavelmente não conheço você e a sua história, mas ainda assim lhe convido para fazer deste livro uma experiência similar a uma boa roda de conversa. Imagine que estamos num lugar que lhe faça sentido, do jeito que você gosta. Eu, como bom mineiro com cheiro de sertão, gosto de café, pão de queijo e música que faz a alma cantar. Sempre me imagino numa cadeira ou no chão de uma varanda, com vista para algum pedaço de natureza viva, na alegria de poder encontrar alguém pra falar da vida, de forma profunda e delicada. Depois que você terminar de ler este livro, poderá me dizer se consegui fazer dele uma forma de puxar dois dedos de prosa sobre o sofrimento humano, sem abrir mão da profundidade, e sempre de mãos dadas com a delicadeza. Trago em mim a delicadeza como uma espécie de abre-alas da vida, como o jeito que eu quero me expressar, como uma criança que aponta para a lua cheia sem medo de que lhe cresça verruga na mão. Ser delicado é sim parte de um mundo masculino possível, não violento e cheio de esperança. A delicadeza pode ser uma forma de conversar sobre o sofrimento, sem que a dor seja ainda maior. Falar sobre o que faz sofrer é parte da experiência de colocar esse sofrimento num lugar menos árido e mais esperançoso. Para isso, a delicadeza merece ser o tapete vermelho, sobre o qual podem repousar as histórias de uma vida inteira. Como numa varanda, com café e pão de queijo. Sim, este livro é como uma conversa na varanda. E com os olhos nos olhos, com os silêncios que se fazem cada vez mais raros no encontro entre as pessoas. Para uma história poder cumprir o seu destino de tocar a alma humana, para ela poder ser narrada e transformar quem conta e quem escuta, é necessário silêncio. Não interromper o fluxo da emoção de quem conta, já que provavelmente a pessoa passou muito tempo com aquela história engasgada, sem conseguir um interlocutor que se dispusesse a escutá-la. Sinto que cada vez temos menos tempo, espaço, paciência e disponibilidade para escutar as histórias que fazem as pessoas sofrerem. A vida acelerada nos faz responder com um coração nas redes sociais, a um texto enorme e cheio de lágrimas escondidas entre as letras impressas bem desenhadas. As pessoas continuam com muita necessidade de contar o que sentem, como vivem, suas perguntas sobre a existência para as quais não conseguem encontrar respostas. E nós aprendemos a escutar a dor do outro com palavras fáceis, com receitas de bolo em forma de comportamento: "vai passar", "Deus quis assim", "é um processo mesmo".

Fico me perguntando o quanto essa tentativa de consolar a pessoa representa uma impaciência nossa em escutar verdadeiramente uma história, e permitir sermos tocados por ela. Então eu te convido a passar um tempo aqui comigo, abordando histórias de gente como a gente: que quer ser o melhor para o mundo e consegue ser apenas o possível, que insiste em tentar e cansa por vezes, que desiste e depois desiste de desistir. A vida é um eterno mirar na Lua para acertar nas estrelas. Não somos o que sonhávamos ser, porque sempre somos uma fração do que imaginávamos. E isso não significa uma existência menor, mas aquela única em que podemos fazer os dias acontecerem. Nós sofremos. E existem formas para que essas histórias de dor ganhem algum sentido, e aí possam descansar em nós, ainda que a resposta definitiva para elas não tenha chegado. O convite pra conversar surge desta ideia: somos pessoas que sofrem de formas muito diferentes porque somos marcados por uma impressão digital que nos faz únicos no jeito de viver. Mas os temas dessas dores parecem ser compartilhados por muitos de nós, e é isso o que faz com que as rodas de conversa sejam parte de todo o ciclo da vida. As crianças conversam e brincam juntas, os adolescentes fazem das tribos a grande cola identitária dessa fase. Os adultos se misturam em turmas do trabalho, da família, dos amigos de escola, dos vizinhos. Eu só acredito em uma vida vivida coletivamente, em que haja a possibilidade de escutar o que o outro sente vontade de dizer sobre si. Nessa mistura de histórias, vamos compreendendo melhor o que é viver. Os desafios são semelhantes, as histórias de como os experimentamos é que são absolutamente únicas. Neste livro, vamos conversar sobre muitos desafios da vida. Pode ser que você tenha vivido um ou vários deles, ou que haja gente por perto que entenda, na pele, o que os textos vão abordar.

As cartas são a forma que eu escolhi para desenvolver a conversa com você. Há tempos que não recebe cartas, não é verdade? Eu sou de um lugar e de um tempo em que cartas eram parte da aventura de se lidar com a saudade. Amigos se fizeram e se mantiveram por meio de cartas, enquanto o esperado encontro presencial não acontecia. A carta era uma forma de antecipar o entusiasmo do coração em encontrar gente amada. Depois da revolução da internet, essa prática foi deixando de existir progressivamente. O e-mail veio a ser o substituto impresso nas telas, sem que pudéssemos conhecer a letra de quem nos escreve. E cada vez mais o texto das histórias vai ficando mais curto, mais conciso e com menos esperança de ser lido. É hora de recuperar a potência de ser remetente ou destinatário de cartas que abraçam sem medo; cartas sem vergonha de expressarem o amor, a dúvida, as emoções mais secretas e as histórias mais silenciadas. É hora de fazer das cartas uma contracultura do afeto e da esperança na capacidade de sermos solidários. Aqui, eu lhe escrevi várias cartas, sempre pensando que você está vivendo um dilema que ainda se apresenta como uma pergunta sem resposta. A ideia das cartas jamais será a de lhe entregar respostas, porque eu não acredito nisso.

Sou um psicólogo, terapeuta familiar, de casais e de grupos. Isso significa que passo os meus dias conversando com muita gente sobre os conflitos humanos que deixam um rastro de sofrimento, fazem aumentar a angústia e tantas vezes são mantidos em segredo por muito tempo. O papel de um psicólogo não é direcionar a vida de alguém, mas o de ajudar a ver o problema de forma diferente. Quando um psicólogo apresenta a saída do túnel, está contribuindo para que esse alguém se sinta incapaz de fazer a travessia com seus próprios pés. Nós, psicólogos, acreditamos infinitamente na capacidade do ser humano em construir as saídas para os seus labirintos. E jamais sabemos o que é melhor para uma pessoa, já que o maior segredo da vida é descobrir como vivê-la com autenticidade, da forma que mais faz sentido para quem vive. Estas cartas são o início de uma conversa que eu quero ter com você, na varanda da sua vida. Todas as vezes que elas parecerem falar com você, e que se sentir tocado, pare e tome nota. Converse com você, permita-se fazer novas perguntas sobre os velhos problemas. Presenteie-se com o silêncio que ajuda a sentir a vida de outra forma. E, depois, volte, leia mais um pouco, até quando quiser parar. Você tem a escolha de ler as cartas em qualquer ordem, ou apenas aquelas cujos temas dialogarem com a sua história. Sei que você não está no meu consultório, e nem essa é a ideia. As cartas deste livro jamais terão a pretensão de substituir uma boa terapia. Mas elas podem ser o início da sua fala na próxima sessão. Ou um chamado para uma conversa com alguém que você ama, para contar algo seu ou para acolher alguém com quem você se preocupe. E, se no final quiser me escrever uma carta, eu vou adorar recebê-la. Não precisa ser impressa, não precisa ser escrita à mão, não precisa ter um formato específico. Vinda de você, falando de você e da sua história, a carta ganha importância, merecerá ser lida e respondida. Este não é um livro para simplesmente ser lido, ele é uma vontade de ser uma conversa para além destas páginas. Uma carta é sempre uma promessa de futuro, um abraço que ainda acontecerá em alguma esquina da vida. Há muito tempo eu não escrevia uma carta para alguém, e sou tomado de uma alegria enorme ao me ver aqui, escrevendo esta carta para você.

Um abraço para quem for de abraço, um beijo para quem for de beijo.

A gente se encontra nas próximas páginas. Até sempre!

Alexandre.

II. HÁ QUANTO TEMPO VOCÊ NÃO RECEBE UMA CARTA?

Josué,

Faz muito tempo que eu não mando uma carta pra alguém. Agora eu tô mandando esta carta pra você. Você tem razão. Seu pai ainda vai aparecer e, com certeza, ele é tudo aquilo que você diz que ele é. Eu lembro do meu pai me levando na locomotiva que ele dirigia. Ele deixou eu, uma menininha, dar o apito do trem a viagem inteira. Quando você estiver cruzando as estradas no seu caminhão enorme, espero que você lembre que fui eu a primeira pessoa a te fazer botar a mão no volante. Também vai ser melhor pra você ficar aí com seus irmãos. Você merece muito muito mais do que eu tenho pra te dar. No dia que você quiser lembrar de mim, dá uma olhada no retratinho que a gente tirou junto.

Eu digo isso porque tenho medo que um dia você também me esqueça.

Tenho saudade do meu pai, tenho saudade de tudo.

Dora.

Essa é a carta escrita pela personagem Dora – a criação magistral de Fernanda Montenegro no filme *Central do Brasil* – ao Josué – o garoto que Vinícius de Oliveira trouxe ao mundo para ser a metáfora da busca universal pelo pai, e parte da história encantada daquele filme que falava do poder que existe em cada carta escrita. Assisti a esse filme dezenas de vezes – só no cinema foram umas quatro. Eu via ali algo de muito universal, um mito que se atualizava, uma história sobre as histórias, na metalinguagem mais poética que eu tinha conhecido até então sobre a comunicação entre corações apartados por quilômetros, separações e saudades. Desde *Central do Brasil*, o tema das cartas nunca mais me abandonou. O filme de Walter Salles me ensinou tanto, que meu inconsciente buscou formas de se expressar por escrito, na profissão mais oral que conheço. Eu tinha me formado para ser terapeuta: primeiramente fui atender crianças, depois me interessei pelos adultos e, finalmente, pelas famílias e casais. Descobri que, entre terapeutas familiares, havia alguns, menos ortodoxos, que gostavam de escrever cartas depois do final das sessões. Era uma forma de deixar as mensagens para serem relidas por todos os membros do grupo familiar sempre que necessário, no sagrado espaço entre as sessões. As cartas eram como uma licença poética para poderem voltar ao tema, para vencerem o medo de enfrentar o problema que lhes trazia ao consultório. Passei a escrever cartas, também, para aquela pessoa da família que jamais se interessara pelo processo terapêutico: fazia do papel escrito à mão uma ponte para que ela me escrevesse de volta, caso tivesse vontade, para marcar com alguma presença a sua versão da história. Havia cartas de despedida de todo um processo, cartas depois de algum tempo do final para entender como estavam aquelas pessoas; cartas e mais cartas. Não era recurso habitual, é verdade. Mas quando ele existia, quando eu lançava mão da possibilidade de escrever para meus pacientes, sentia que o coração do terapeuta se expressava com calma, porque rima com alma mesmo. E o melhor – era um recurso terapêutico muito eficaz, que conectava as pessoas à terapia ou à mensagem que ali se expressava. A carta tinha mesmo a capacidade de ser uma brisa que triunfava sobre a resistência das pessoas em falarem sobre suas dores.

    Hoje, mais de duas décadas depois daquele filme mágico, as cartas voltam a povoar meu imaginário. Agora elas têm outro formato. Somos como Dora, ou como Josué; há muito tempo não escrevemos cartas para ninguém, e ninguém nos envia cartas de próprio punho. Os bilhetes de outrora, anotados na cadernetinha ao lado do telefone fixo no canto da sala, se transformaram em comentários telegráficos nas redes sociais. Não temos mais tempo para o tempo de uma carta, que se expressa sem pressa. A carta não quer acelerar nada, ela quer é mesmo parar o tempo. Neste mundo de velocidade adoecedora da vida, cartas podem ser escritas para que as pessoas entrem num parênteses e as leiam, sem pressa. Ainda sou escrevedor de cartas, muito prazer. Aprecio o itinerário que elas fazem: saem de um silêncio de vários momentos (às vezes não são escritas de uma só vez), os sentimentos vão fluindo e permitindo serem narrados por quem empunha a caneta em mãos. Hoje estou escrevendo muitas cartas para você. O mais diferente dessas cartas é que elas podem não ser exatamente para você, mas eu adoraria que pudesse ler cada uma delas como se assim fossem. Escrevi cartas para destinatários sensíveis, afeitos a deixar as vozes internas falarem em sonhos, em terapias, em silêncios, em músicas e danças. Sei que você é assim, mesmo que sua vida atual não lhe permita mostrar. Há em você uma pessoa desejosa de receber uma carta com as folhas dobradas e que se surpreenda com seu conteúdo. Aqui vamos viver isto: um livro de cartas, que contém conversas que poderiam acontecer dentro de um consultório de psicoterapia de qualquer tipo. Nelas, procuro tratar de dilemas que incomodam, mobilizam, bloqueiam, fazem sofrer ou são desafios maiúsculos para você ou para alguém próximo. Se não quiser ler sobre algum dos temas, fique à vontade. Eu sou um defensor apaixonado da autonomia, do nosso direito de escrever a própria vida com as mãos que temos, e não obedecendo às imposições das mãos de alguém. Leia como quiser, quantas vezes quiser. Você pode lê-las para entrar mais em conexão empática com quem vive uma determinada dor, por exemplo; é muito belo podermos sentir que somos aprendizes em todos os tempos da vida, e que, inclusive, colocar-se no lugar do outro é uma matéria que nunca seremos capazes de aprender completamente. Você pode ler a carta como se fosse para você, numa parte de sua vida que já não existe mais, ou numa história que ainda está por vir. Quando as palavras ganham o mundo, elas deixam de pertencer a quem as escreve. As cartas terapêuticas deste livro, a partir de agora, são suas. Ao final, se você quiser me escrever de volta, estarei como Josué, com olhos marejados, aguardando que o irmão que acabara de conhecer (personagem de Matheus Nachtergaele, aquele colosso de ator) lesse a carta da mãe para o pai. Volte ao *Central do Brasil* e veja os olhos de Josué naquela cena, e imagine que eu estarei daquela forma.

Aguardando, com o coração vivo, a sua manifestação, qualquer que ela seja. Conte-me como você recebeu estas linhas, e perdoe-me pela estranheza de querer escrever-lhe cartas. Já viu, sou do século passado, e há muito tempo não escrevo uma carta para alguém.

III. UM LIVRO SOBRE MOMENTOS DE CRISE?

Eu sei que você pode ter aberto este livro com algum interesse, mas também com alguma dúvida sobre o real objetivo, alcance e limitação. É importante estabelecer aqui alguns parâmetros para que você se sinta confortável ao lê-lo. Desde o final do século XX, inúmeros livros de autoajuda entraram no mercado editorial com fórmulas detalhadas do que uma determinada cultura (a norte-americana, sobretudo) decidiu nomear como "sucesso". Parecia haver um caminho para essa realização suprema, que diferenciava quem era vencedor de quem jamais subiria no pódio da vida. É preciso que você saiba: eu desacredito fortemente disso tudo. Essa forma de nomear a vida, seus desafios e suas vitórias parece-me simplista e, sobretudo, um samba de uma nota só. Pensar o sucesso como uma fórmula é um total desmerecimento da capacidade do ser humano em ser múltiplo, em querer fazer de sua história algo diferente de qualquer fórmula. Sou a favor da inexistência de um conceito fechado para esta palavra "sucesso", inclusive porque ela oculta um significado bastante sombrio e, pior, definitivo para a autoimagem, da palavra "fracasso". Não há uma vida de sucesso ou fracasso. Todas as vidas humanas são marcadas por momentos de maior ou menor satisfação, sentimento de autoeficácia, encontro consigo e com os outros, pertencimento, vontade de ser único, vontade de ser parte de um coletivo, vazios, ilusão de ter chegado finalmente ao topo da montanha, vontade de ter outra vida completamente diferente da que se escolheu até então, surpresas agradáveis ou bastante indigestas. E poderíamos preencher essa lista com um sem-número de cenas que compõem um mosaico pouco simétrico sobre os conceitos de sucesso ou fracasso. Ora, se a linha do tempo de qualquer um de nós está marcada por tantos sobressaltos, pode ser bem melhor sentir que esses conceitos fixos, rígidos e absolutistas, como "sucesso" e "felicidade", são invenções que criamos. Perceba que eu, inclusive, coloco essas palavras entre aspas, de propósito, como títulos de uma ficção. Eu só trabalho com modelos de funcionamento humano que se proponham inclusivos. Minha afiliação profissional é fazer parte de um grupo de profissionais (psicólogos) que, no Brasil, exercem a sua atividade sempre no intuito de incluir o que está do lado de fora. Nós somos os escutadores profissionais que convidam as pessoas a trazer para dentro de uma fala nova aquilo que é negado, oculto inclusive de si mesmo, na consciência. Mas também daquilo que a sua cultura familiar, organizacional, escolar ou religiosa não permite que seja expresso ou vivido. Também somos afeitos a trazer pessoas que se sentem excluídas para o lado de dentro da vida, da sociedade e do coração de quem já se sente pertencente. Enquanto houver alguém se sentindo do lado de fora, há um chamado contínuo para que abracemos essa exclusão e a tragamos para o lado de dentro. O respeito à diferença humana é o principal norteador do senso de justiça. O direito a que todos possam se sentir únicos, livres para pagar o preço de ser o que se escolhe ser, é uma pedra fundamental desta existência complexa e sem receitas. Inclusive, temos o direito inalienável de, ao sentirmos que as escolhas nos levaram a um desvario, que elas possam ser refeitas, que haja a possibilidade de retorno a uma sensação de bem-estar consigo e com a vida que se leva. Portanto, não há "sucesso" ou "fracasso". Há momentos em que nos sentimos melhores ou piores, e tantas vezes com a necessidade de conversar, e muito, para compreender o que há de errado. Muito comum é sentir que há algo funcionando mal em alguma dimensão da vida, mas as palavras ainda não surgiram para nomear claramente o que vivemos. Há um alento sublime quando a palavra finalmente chega para dar forma ao que antes era apenas uma sensação. A palavra é a moldura das experiências humanas. Por meio dela, colocamos nome e adjetivo àquilo que vivemos. E há muito mais palavras para representar o que vivemos, para além de "sucesso" e "fracasso".

Neste livro, uso a palavra "crise" como um convite à existência possível. Na próxima carta, trato de explicá-la com mais ênfase. Mas quero salientar que este livro é uma experiência de revisita às circunstâncias da vida de todos nós, que nos provocam dores, dilemas, sentimentos estranhos, e, acima de tudo, a sensação de desadaptação. Não são poucas as cenas em que nos sentimos assim, sejamos honestos. O desenvolvimento humano é uma linha cheia de curvas, encruzilhadas, acidentes de percurso e encontros inesperados que testam as nossas coronárias em sua capacidade de resiliência. Do nascer ao morrer, somos levados a escolher, a desenvolver habilidades novas, a aceitar perdas, a lidar com o inesperado, a crescer, a não conseguir reter momentos e pessoas que se vão. A angústia é a amálgama dessas situações. Ela gera perguntas que demoram a encontrar sequer um esboço de resposta temporária. E nossa grandeza e envergadura vai sendo composta justamente aí. Não há mistério insondável, não há receita infalível. Viver é um conjunto de outonos da alma e de sobressaltos seguidos de gargalhadas e lágrimas. Tudo ao mesmo tempo, agora. Para que, quiçá, possamos fazer dessas perguntas sem resposta definitiva alguma promessa de futuro.

E, nesse tom, este livro foi pensado para ser uma conversa ativa e constante com esta sua condição: "você não está só". Somos todos caminhantes silenciosos e reflexivos sobre o que devemos fazer, que decisão melhor podemos tomar, como reparar uma grande falha, a quem recorrer em momentos difíceis, o que revelar do que sentimos, como levar uma vida mais autêntica. As lacunas de sentido da vida também fazem parte dessa jornada. Uma vida é um tempo longo demais para ser previsível e para realizar-nos a todo instante. A perda de sentido pode aparecer como uma dessas perguntas que não querem calar. Por mais grave que seja o momento, não há pergunta que não possa ser feita – e aí está a grande beleza da capacidade humana de resistir aos terremotos dos dias. Antes de querer respostas, talvez sejamos mais úteis aos nossos dilemas se conseguirmos propor perguntas que ampliem o olhar para o problema. Perguntar é não ter certezas. Perguntar é se assumir incompleto, falho, passível de reescrever a vida. Perguntar é a grande saída de uma crise.

As cartas que lhe escrevo ao longo das próximas páginas são um convite à abertura do seu coração para fazer novas perguntas. As crises chegam para suscitar raivas que estavam escondidas detrás de uma pretensa adequação a tudo, para fazer chorar as tristezas que não podiam ser expressas, para assumir os medos que são muito mais do que aquilo que os pretensamente fortes e equilibrados teimam em nomear como "receios". As crises são a mobilização que faltava, e que trazem um futuro estranho, em que podemos até agradecer por elas terem vindo nos visitar sem aviso prévio. Elas nos chacoalham, destroem os castelos que tínhamos construídos como símbolos da ilusão de certeza e controle. As crises nos relembram a falência e a finitude, e, por isso mesmo, o quanto podemos ser verdadeiros inventores de vidas numa mesma vida. Não há limites para a capacidade humana de se refazer. Antes de passarmos pelas crises, não sabemos que seremos tão grandiosos a ponto de construir uma saída possível para o desafio que elas nos apresentam. Este livro não é uma resposta. Ele traz apontamentos, sugestões, levanta possibilidades que podem ou não fazer sentido pra você. É você quem decidirá se as linhas que lhe escrevo são úteis ou não. E, no seu exercício soberano de autonomia, você poderá fazer desta leitura mais um elemento para refletir sobre dilemas que lhe atravessam. Eu não sou portador de nenhuma verdade, até porque você já entendeu que não acredito nelas. Sou o defensor interminável da verdade de cada um ser construída, vivida e celebrada na convivência humana. O convite dessas cartas é de ser mais um instrumento de diálogo com você. O que pode, inclusive, mostrar que você precisa de uma ajuda profissional para fechar um ciclo pendente, para dar encaminhamento a um dilema importante, para resgatar perguntas que ficaram pra trás, para ter o alento de ser escutado por alguém que não lhe oferte uma saída simplista nem um conforto amigo que lhe esconda o lado sombrio das suas escolhas. Se este livro for insuficiente a ponto de você procurar o apoio de um profissional da psicologia, psicanálise ou psiquiatria, ele terá cumprido a melhor das suas finalidades. Eu acredito na necessidade de sermos escutados, como ponte possível para abismos do existir que por vezes encontramos pela frente.

As cartas são escritas de forma independente, e você pode lê-las na sequência que melhor lhe parecer adequado ao seu momento. Inclusive pode ser que algum tema das cartas não lhe chame a atenção a princípio, mas a leitura final lhe deixe perguntas muito úteis. Não há regras para a leitura deste livro, a não ser um pedido de que você não o leia como um receituário. A vida não é um formulário a ser preenchido. Os vazios de sentido são as gravidezes das novas fases, dos ciclos que nem sequer sonhamos em viver. Tudo é parte. Nada fica de fora. Não há sucesso nem fracasso, apenas vida possível e aprendizado contínuo. Somos caminhantes que escrevem cartas para o futuro, na intenção de termos respostas do tempo. E eis que o tempo nos diz, como um oráculo, que a resposta sempre esteve do lado de dentro da mesma pergunta. Por isso, acredito que viver é conversar, o diálogo é a saída, a prévia do desatar dos nós. Conversar consigo, então, é o diálogo talvez mais frutífero da jornada inteira. Eu uso, neste livro, um instrumento que eu aprendi com dois mestres da Terapia Narrativa, uma das minhas formações terapêuticas ao longo destes mais de vinte anos trabalhando como terapeuta familiar, de casais, indivíduos e grupos. Michael White (um gigante como terapeuta, infelizmente falecido precocemente) e David Epston, vindos da Austrália e da Nova Zelândia, respectivamente, criaram um modelo de conversa terapêutica muito singular, poético e acessível. Espalhou-se no mundo inteiro como as melhores mensagens de paz, trazendo esperança para as histórias humanas mais dilacerantes. A Terapia Narrativa é um modo de conversar sobre as dores da vida, trazendo os problemas para conversarem conosco. Pode parecer um pouco abstrato ou estranho demais, mas a ideia é que tratamos os nossos problemas como se estivessem colados à nossa identidade. Quando digo "eu sou ansioso", estou trazendo a ansiedade para uma espécie de morada definitiva. Nessa expressão, há a sensação de que estamos entregando os pontos, que a ansiedade venceu o jogo. E o que a vida quer de nós é coragem, como diz Guimarães Rosa. Michael e David sorriem para nós como terapeutas, e nos tocam em nossa coragem para ousar contar a história com um tom inédito. O que aconteceria se pudéssemos conversar com o nosso problema? O que a ansiedade nos diria? Em que situações ela chega mais fortemente, invadindo a minha existência? E em que outras cenas eu consigo ser mais forte do que ela, e pareço outra pessoa, muito diferente daquela "ansiosa" a que me refiro sempre? Foi assim que pensei estas cartas: você vai conversar com o medo, com a raiva, com a tristeza, com o ciúme, e assim por diante. Essas características humanas são aqui as escritoras das cartas, estão vivas na vida de cada um de nós, e por isso nos conhecem bem. Elas vão nos dizer como somos, o que sentimos quando elas chegam, e sempre nos deixam alguma mensagem esperançosa. Como eu sou o autor das cartas, não poderia deixar de ser assim. Eu sou testemunha, escutando tantas histórias de tanta gente valiosa vida afora, de que a desesperança é temporária, e o diálogo é capaz de trazer alternativas que nutram o coração de energia. Aprendi, com cada paciente que atendi (e foram centenas deles), que somos sempre surpreendidos pela imensa criatividade e capacidade humana de fazer a vida acontecer, apesar e além dos sofrimentos inevitáveis, fazendo acontecer o que tantos chamam de milagre. Um terapeuta é testemunha dos milagres que fazemos acontecer em nossos dias, das insistências que constroem vidas novas, das decisões imperfeitas e dos tropeços inevitáveis que nos transformam em outros. Você perceberá que as cartas estão escritas para um "você" sempre feminino. Isso não é aleatório, mas não quer dizer que eu escrevo essas cartas para serem lidas apenas por mulheres. A interlocutora é a alma de quem lê. E alma se conjuga no feminino. Também no feminino se conjugam as revoluções de comportamento que os séculos vêm trazendo como História. As mulheres contêm em si o elemento mais fecundo da transformação. Neste século XXI, elas (sobretudo as mulheres negras) têm ensinado aos homens sobre as injustiças construídas nas sociedades do mundo inteiro. Elas estão ocupando espaços, enfrentando tabus, quebrando assimetrias e construindo um outro panorama de convivência entre os gêneros. Desejo que os homens possam ler um livro escrito para uma interlocutora, e ainda assim consigam se identificar com o diálogo que lhes proponho. Isso pode ser um pequeno ato de desconstrução, uma metáfora para estes tempos. Precisamos sair do cenário sempre protagonizado pelos homens, beneficiando-

-nos de um lugar de escuta para quem merece ocupar novos lugares de fala. Escutemos a fala para uma mulher, para o nosso lado feminino, para o desejo de transmutação das feridas que sempre nos fizeram menores. A alma do mundo é uma mulher.

As cartas terapêuticas para momentos de crise são mais um fluxo de conversação, entre tantos outros, sobre aquilo que ainda não aparece como resposta no seu horizonte. Como são cartas, podem ser respondidas. Se em algum momento você quiser me escrever, sinta-se à vontade. Eu sempre adorei receber cartas. Em meu cotidiano como psicólogo, sinto que as histórias humanas são cartas endereçadas a mim, para que eu as leia com atenção e empatia. A todo momento eu recebo estas "cartas faladas" em forma de histórias no consultório, nas conversas com as plateias nas palestras, como parte do meu trabalho no programa Encontro com Fátima Bernardes, da Rede Globo. A sua história me interessa. Todas as histórias têm a capacidade de fazer-nos aprender sobre a grandiosidade da experiência humana. Se você quiser me ensinar sobre a sua, serei um leitor aprendiz da carta que você, gentilmente, quiser me escrever. As crises são parte do tecido que une todas as histórias – e, por isso, são um motivo a mais para nos sentirmos próximos e semelhantes. Momentos de crise são, neste livro, o motivo de um abraço que nunca se encerra, como acalento da angústia que existirá, como parte da aventura de voltar a despertar para um novo dia.

IV. CRISE É COISA DE GENTE FRACA?

Uma das maiores metas da existência humana ocidental é a independência. Uma palavra tão proferida, tantas vezes de forma acrítica. Reflitamos sobre ela. O que você deve imaginar por independência (e já ter pensado assim): chegar ao momento em que quem mandará em sua vida é você, e que as pessoas a quem você devia algum nível de satisfação deixam de ter o direito de interferir no rumo de suas escolhas. Há toda uma ideia mítica sobre o momento em que essa independência acontece (por exemplo, quando se atinge a capacidade de arcar com as contas, ou quando se muda de casa, ou quando se passa de solteiro a casado). Não existem fórmulas diretas para o alcance dessa pretensa independência, mas não sobram dúvidas sobre o que significa esse estado tão sonhado. O fato de estarmos em um tempo em que esse sonho é tão acalentado, frequente e repetitivo é um indício de que seja um valor intrínseco para que se pense na fase adulta com algum nível de reconhecimento social. Muito do respeito que se espera na vida adulta tem correlação com essas ideias. Então, ser independente é parte do processo de ser admirado, de sentir que se chegou a algum patamar elevado de realização. Essa ideia é uma ilusão para muitos autores, e com eles eu estou de acordo. Não quero dizer que sejamos dependentes sempre, mas que os dias passam com tal complexidade, que é fácil nos vermos em situações-dilema, sem instrumentos para lidarmos com elas. Pode ser que tenhamos uma parte da vida sob controle (ou pelo menos com essa sensação), enquanto uma parte do que temos vai se desfazendo, se despedaçando. Queríamos mesmo que a vida fosse uma rocha sólida, e, se formos honestos com nossas verdades mais íntimas, ela se parece mais com pedaços erodidos de terra que se imaginava chão inabalável. Não é casual que uma parte da vida caia, assustando as impressões de que tudo ia muito bem.

Há circunstâncias em que tantos fundamentos da vida são erodidos por um evento, que sentimos que não temos condição efetiva de lidar com o problema. Um monstro se cria na mente, fazendo-nos crer que somos muito menores do que o que se exige para resolver uma questão tão nova quanto gigante pela própria natureza, ao aparecer como uma avalanche e tantas vezes sem aviso prévio. Esse é o panorama de uma crise: um acontecimento com algum grau de ineditismo, seja na forma em que apareceu, no tema que trouxe como problema, no fato de ser uma questão complexa e cheia de perguntas em aberto, na duração que parece vir a ter, no nível de exigência de dedicação de tempo e espaço que parece tomar de nossas vidas. Uma crise é um evento que faz o coração acelerar, a ansiedade aparecer com mais exuberância, os olhos saltarem, o pensamento deixar de ser fluido e passar a ser obsessivo, dando voltas ao redor de duas palavras: "e agora?".

Uma crise é uma fase temporária de caos diante de um acontecimento que nos mobiliza. É um período de maior transtorno, dificuldade de organização interna, de funcionamento emocional menos eficaz. É um momento em que a energia se volta para evitar que não transbordemos de angústia. Todas as nossas fortalezas já conhecidas se erguem, tentando dar conta da ansiedade, enquanto as respostas sobre o que e como agir não se fecham claramente. Não existe biografia sem crises, no plural, de tempos em tempos, desorganizando a vida e pedindo de nós criatividade, paciência, resiliência e capacidade de autocompaixão. Se não funcionamos da mesma forma em condições de crise, seria melhor que a culpa não aparecesse como um legado a mais da situação. Mas sabemos que, infelizmente, a coisa não funciona assim. Como conversávamos anteriormente, a ideia de sermos independentes, impávidos e colossos é confrontada diante de uma crise. Se as pessoas esperam que tenhamos recursos de sobrevivência aos momentos difíceis, e isso esteja no arcabouço do que entendemos por "independência" e "vida bem-sucedida", a crise pode ser o gatilho perfeito para uma fase de extensa e notável solidão.

Este livro parte do princípio de que não fizemos o que Renato Russo nos pediu, e continuamos a mentir para nós mesmos, ainda que sabendo que se trata da pior mentira. Não somos impermeáveis às inúmeras crises da vida. Funcionamos pior diante delas. E, portanto, precisamos de vários apoios nesses momentos. As crises vêm para nos ensinar, nestas épocas individualistas, que a vida vivida coletivamente pode ser uma alternativa necessária à saúde mental em momentos difíceis. Compartilhar a vida, em seus desafios, com quem possa lhe escutar, ainda que não conheça prontamente a resposta para o dilema, é parte da saída do túnel em que se adentra em uma crise. É normal precisar de apoio numa crise. Uma crise é uma reação normal a um evento anormal, diz Karl Slaikeu, um dos maiores autores sobre o trabalho com grandes crises humanas. E o comportamento que temos diante dela é parte do aprendizado sobre quem somos, nas mais diferentes contingências. O que demonstramos ser nas crises pode ser bastante desconhecido, e até difícil de ser aceito. Quanto mais acreditarmos que somos ou devemos ser infalíveis na capacidade de tirar coelhos da cartola para resolver problemas, mais estranharemos os vazios de resposta e os olhares cabisbaixos que vamos ter diante de algumas cenas. Este livro é uma conversa sobre momentos em que os dias parecem passar com a pergunta "e agora?", e nós continuamos a nos sentir reféns de um problema que parece indissolúvel, um labirinto sem saída, um certificado de impotência suprema. Não acredito que você mereça se sentir assim. Somos instigados por situações que estreiam na linha do tempo dos dias, e que fazem com que comecemos do zero uma nova curva de aprendizagem sobre aquele tema específico. Sempre estamos trilhando a primeira vez que lidamos com alguma questão. Não precisamos saber de tudo, não tenhamos a menor ilusão de que os recursos para o bem viver estarão construídos totalmente em alguma fase. Sempre seremos lançados a inventar formas de estar melhores, e geralmente a partir de uma situação-problema. Muitas questões que nos retiram da sensação de equilíbrio são mesmo devastadoras. Outras prometem ser muito duradouras e longevas. Outras tantas nos fazem sentir que somos uma fraude diante da imagem que construímos de nós. E muitas, muitas cenas de crise, nos relembram que fundamental é mesmo o amor, de quem quer que seja, e que é impossível ser feliz sozinho. Mas o resto não é mar. Ou, se for mar, é revolto e com ondas de engolir baleias. A crise traz cenhos franzidos, palpitações, unhas roídas, lágrimas, emoções desbordadas. A crise nos atravessa e desorganiza o que imaginávamos ser a independência adulta para lidar com o novo e o difícil. Não há idade para se sentir mal diante de uma crise. Às vezes colocamos nomes diferentes nela, como: adaptação, transição, desenvolvimento. Mas são crises, sim. Conseguimos enfrentá-las, ultrapassamos fronteiras inimagináveis, e, ao final do processo, nos sentimos mais fortes – é assim o nascimento da resiliência em nós, em camadas cada vez mais profundas, deixando espaço para enfrentamentos com altivez outros problemas bem mais complexos. As páginas seguintes são cartas que eu escrevo pra você, que pode estar no meio de uma dessas crises, pode já ter passado parcial ou totalmente por elas, ou pode ser um tema absolutamente fora da sua experiência. Importa-me conversar com você assumindo que todos vivemos esses momentos com o desarranjo das certezas, e que somos nitidamente mais falíveis quando nos deparamos com tudo isso. Não, crise não é coisa de gente fraca. É coisa de gente humana. É coisa de gente que está no campo da vida, em qualquer das marcações do jogo. Crise é coisa de gente que se esforça para ser perfeito, e coisa de gente que tem certeza de que é imperfeito. Crise é coisa que se espera em alguns momentos, e coisa que pode aparecer como um *tsunami* inesperado. Crise é lágrima, mas também é silêncio, raiva, medo. Crise é hora de aprender, mas também é hora de se despedir. É um intervalo que mais parece uma noite repetida, de tanto que pode aparecer ao longo de uma história de vida. Se somos feitos dessas impermanências que nos remexem tanto, resta-nos conversar sobre os dilemas que nos assolam, e como fazemos para torná-los a gravidez do próximo salto. De crise em crise, vamos nos sentindo mais imperfeitos, mais fortes, mais lúcidos, mais autoconscientes, mais verdadeiros e mais donos da própria vida. Um viva à possibilidade de sermos muito menos daquilo que imaginávamos ser! E, ao sermos assim, assumir que a crise é dor e crescimento, é morte e vida, é travessia e catatonia, é grito e lágrima, silêncio e verborragia. Abra sua caixa de correio afetiva em cada uma das cartas seguintes, e sinta cada carta como um pouco da ternura e da delicadeza que você merece receber, por simplesmente permanecer disponível para a vida enquanto ela parece lhe nocautear. Que as cartas possam lhe entrelaçar, fazendo caber nesta conversa alguma medida de alívio por, pelo menos, você não sentir que está só. E que o perímetro da sua esperança em si mesmo e no seu futuro possa se expandir, a ponto de você sorrir, como se a paz viesse, sorrateira, lhe visitar no meio das perguntas sem respostas.

CARTAS TERAPÊUTICAS PARA MOMENTOS DE CRISE

1. Você, recém-nascido,
   escreve uma carta para você hoje.   42

2. Quando o medo não teve medo
   de escrever uma carta para você.   52

3. Carta da tristeza, afirmando
   o direito que ela tem
   de existir em sua vida.   60

4. A saudade, que parecia ser somente
   dor, vem lembrar que é saúde.   70

5. Carta da culpa, que não quer
   se sentir culpada por ser tão
   presente na sua vida.   78

6. O ciúme vem lhe alertar que ele sabe
   bem o que não é amor.   88

7. Uma carta da raiva, irritada por
   ser silenciada em tantos corpos.   96

8. Carta dos seus ancestrais,
   que podem ser muito mais do que
   os defensores da cultura familiar. 106

9. O dia em que a vergonha acolheu
   suas dores de existir. 114

10. O amor vem lhe trazer
    nenhuma certeza, toda intensidade
    e alguma canção. 124

11. O dia em que o diálogo decidiu
    conversar com você... 134

12. A morte pede que você não
    evite esta conversa com ela. 142

13. A esperança reaparece para
    relembrar que não é substantivo,
    e sim verbo. 152

14. Carta para quem leu essas cartas. 162

1. VOCÊ, RECÉM-NASCIDO, ESCREVE UMA CARTA PARA VOCÊ HOJE.

Oi.

Falo baixinho, quase sussurrando, porque não sei como começar uma carta assim. Eu acabo de nascer. Parece que os grandes que me cuidam medem tudo em horas e minutos, e estou surpreso como isso é apenas uma invenção, porque sinto tudo como uma grande avalanche. Há pouco tempo eu estava ali, dentro de um útero, guardado de tantas interferências em forma de som, luz, cor, cheiro, riscos. Eu podia sentir que havia algum conforto, embora pudesse viver apertos, angústias, conectar-me com sentimentos contraditórios de minha mãe (a sua mãe, a nossa mãe, já que estou falando com você mais velho, e mãe é uma das entidades eternas com quem temos que aprender a lidar). Desde o início dos meus sentimentos, pude entender que a angústia é parte da experiência de portar um corpo vivo. Não há como fugir disso, levar uma vida somente envolvida em leveza e paz. A angústia é parte. Eu não sou, desde aqui, neste primeiro dia, muito diferente do que você é hoje. E é sobre isso que eu converso com você. Imagino que você sinta, muitas vezes, que o jogo está perdido, que a biografia já deveria ter sido escrita de outra forma, que a história já está perdida para os seus erros. Eu olho para você e vejo um milhão de cenas condensadas nas rugas, nas manchas que vão aparecendo na pele, no cansaço, nos suspiros que você dá ao ver gente mais jovem cheia de possibilidades. Vejo isso aí, e asseguro que é compreensível. Não foi fácil chegar até este ponto em que você está. Há, em qualquer história, a sensação de que a vida poderia ter tomado outros rumos, que a existência poderia ter sido diferente, caso você tivesse a maturidade que tem hoje para fazer as escolhas que cada "ontem" cobrou. Eu vejo você às vezes fingindo para si mesmo que está tudo bem, mas nós dois aqui, nesta conversa franca, podemos admitir logo de uma vez: há dores escondidas, maquiadas ou minimizadas dentro de uma caixa de esconderijos internos que cada um de nós tenta silenciar, mas que grita nas horas mais impróprias. Pode ser uma conversa estranha esta, mas talvez nem você sinta que alguns comportamentos indesejados aconteçam como efeito dessas dores escondidas e acumuladas pelo tempo que você já viveu. Somos assim mesmo, inconstantes, mutantes, cheios de contornos estranhos. Há cenas lindas, cheias de sentido, que mereceriam ter durado mais tempo. O dia em que você ganhou o presente de Natal. O dia em que você conseguiu vencer o medo e se dar bem naquele desafio que parecia inatingível. O dia do beijo tão esperado. O amor que se redesenha com formato e intensidade inéditos, numa relação a dois (bem que aqueles orgasmos poderiam ser medidos em horas, como o trabalho de todo dia útil...). Há presentes que duram pouco demais, há esperanças que nós não conseguimos eternizar, justamente naquele momento mais duro em que a vida nos exige mais paciência, perseverança e fé. Gostaríamos que a vida fosse uma cena interminável de experiências que deixassem nossa alma enlevada. Mas será que saberíamos saborear esses momentos, se a vida fosse somente o seu lado mais solar? Vou deixar essa pergunta aqui para você se responder com calma, mas tenho a impressão de que as experiências dolorosas fazem por nós algo que muitas vezes não sabemos reconhecer. Doem e não são bonitas. O que as dores desenharam em sua pele? O que as delícias, compiladas em anos que já se foram, também puderam oxigenar em você? E este é só o começo da nossa conversa...

A história de uma vida é como um filme que não termina tão cedo. Tem enredo, personagens, cenários. Você é, ao mesmo tempo, o roteirista e o diretor do filme, tomando as decisões sobre a vida do protagonista e dirigindo a forma como as cenas vão se sucedendo. Deixe-me lhe relembrar, não há história real que seja linear e previsível, sempre crescente e adquirindo êxitos. Não há nenhuma biografia humana que seja inteiramente construída por desenvolvimento impecável e passos em frente e avante. Em todas, absolutamente todas as histórias, há tropeços, erros inadmissíveis por si ou pelos outros, julgamentos que arrasam a autoestima, vontade de ser diferente, lágrimas de raiva, medo, tristeza. Então, por que parece existir um desempenho esperado para cada um de nós nesta existência? Porque somos imersos numa cultura, e as culturas pedem determinadas coisas de seus filhos. Não há nenhuma cultura humana que seja isenta do desejo de que as pessoas ajam de determinada maneira. E você veio em uma época histórica, dentro de uma cultura (e de uma cultura familiar) que lhe coloca alguns marcadores para você imaginar o que seja uma vida bem-sucedida. Repare: quando uma pessoa segue completamente os ditames de alguma cultura, sem sequer refletir se é este mesmo o caminho que deseja trilhar, ela está vivendo a história da própria vida sendo o personagem principal de um filme escrito por outra pessoa. Há, sim, muitos ganhos em ser aquilo que os outros acham que você deva ser: você não será incomodado por ninguém ao ser taxado como "estranho", vai ser reconhecido pela massa ao seu redor como alguém que faz "o que deve ser feito". Mas você, em algum momento, sentirá o ardor de não ter a existência que seja coerente com quem você é. Quando escolhemos o roteiro que nos entregam para viver, estamos escolhendo pertencer àquele grupo, ser acolhidos e legitimados por aquelas pessoas. Pertencer é uma das maiores necessidades humanas.

Do outro lado desta montanha está o direito de eleger caminhos diferentes daqueles que trilharam para nós. Somos, o tempo todo, detentores do poder de dizer ao mundo "eu não sou a pessoa que você imagina que eu deva ser". Quando dizemos isso ao mundo, à cultura de onde viemos, acontece um climão à nossa volta que pode ter dimensões de um terremoto. Aqui, o medo é perder o amor de quem tanto fez por nós. Inclusive, há pessoas que fazem chantagens avassaladoras, que chegam a fazer com que desistamos de ser nós mesmos. Esse é o processo da autonomia. Ser autônomo é o contrário de pertencer, e custa tanta energia quanto encontrar um centímetro quadrado de ouro em um quilômetro de garimpo. Ganhar autonomia, ser você mesmo e viver uma vida que escute as suas vozes internas mais sinceras e profundas é um processo que leva a vida inteira. Aqui, você já entendeu que vai passar o resto dos seus dias negociando entre a autonomia e o pertencimento, entre ser você mesmo e ser parte de um coletivo. Uma vida isolada, sendo apenas você mesmo, é a receita mais antiga para a solidão. Uma vida entregue às regras de um grupo, de uma família ou de uma cultura, é a receita para o sentimento de vazio e de uma vida deixada para trás. Por isso eu lhe disse lá atrás que não existe vida sem angústia, porque não há receita do ponto médio ideal, do equilíbrio perfeito entre ser você mesmo e conseguir fazer da sua vida uma experiência coletiva saudável. A aventura está em buscar o contorno todos os dias, sendo você parte de um ou vários "nós". Eu estou aqui, recém-nascido, vendo você depois de tanto tempo. E quero lhe dizer como me sinto. Eu não sou ninguém. E sou tudo ao mesmo tempo. Sou um futuro possível, em um corpo absolutamente frágil. Não tenho a mesma possibilidade que você de realizar coisas; dependo de tanta gente para conseguir fazer o básico! Sou a fase de maior dependência que nós viveremos. Se um ou vários adultos não se compadecerem da minha condição, estarei morto. Sou apenas isto, e ao mesmo tempo vejo as pessoas chegando até mim e sorrindo. Elas veem vida nova em mim. Quando me veem, elas enxergam as esperanças perdidas. Eu sou uma espécie de renascimento de um pedaço de todo mundo que me observa, que sorri ou lacrimeja de felicidade pela minha chegada, que se preocupa com minha fragilidade ou que me toma nos braços, fazendo promessas de uma vida inteira de amor. Vejo essas pessoas aí, e sinto muita compaixão por elas também. Elas se compadecem por mim, e eu por elas. Desde o primeiro momento, entendo que a vida é relação, é laço, é um vaivém de sentimentos entre corações e mentes que se encontram.

Eu, daqui deste momento ainda muito vulnerável, já sinto saudade do útero. Tenho medo de tanta coisa que não conheço, de tanta experiência para a qual ainda não tenho registro ou forma de lidar. Sou regido pelo medo. Mas insisto. Eu choro, na esperança de que alguém me escute. O meu choro é incômodo, pode irritar e fazer até com que me abandonem, mas é o meu único instrumento de conexão com o mundo. Não desisto desse único instrumento. E me acalmo quando alguém vem e me entrega o que lhe é possível, encontrando as minhas necessidades. Não peço muito da vida, mas sou hiperdemandante. Meus quereres são urgentes, para agora, não importa se as pessoas estejam exaustas de me atender. Eu choro. Sou frágil. Tenho esperança no outro. Tenho medo. Eu insisto. Eu lhe digo isso porque quero olhar nos seus olhos, agora, e lhe dizer que não há tanta diferença entre nós. Somos feitos de medo e insistência, de choro e esperança, de fragilidade e necessidade urgente, de força e vulnerabilidade. Enquanto eu sou o futuro em um corpo frágil, você é um presente possível em um corpo que pode caminhar pela vida, mas que já traz a inesquecível coleção de cicatrizes. Eu sou medo. Você é medo. Eu sou insistência. Você é esperança. Eu não sou você ontem. Eu moro em você. Eu sou uma parte das suas memórias, daquilo que você nem se lembra, mas sente. Eu e você somos a mesma pessoa, feita dos mesmos desafios de existir: precisamos de algumas coisas, queremos outras, conseguimos o que é possível. Dependemos de várias pessoas para fazer a vida acontecer.

★★★

Oi.

Vou fazer, aqui, um novo começo desta carta, já no fim dela. Porque é assim mesmo a vida. Ela recomeça em horas impróprias. Ela é um roteiro impreciso, imprevisível, estranho.

Vou recomeçar. Eu vim aqui, hoje, só para lhe dizer o que eu vejo em você. Eu vejo um começo. Eu vejo um recém-nascido. Eu vejo ideias novas, insistências inéditas na forma de tentar dar certo. Eu vejo florescer imagens na sua mente que, até ontem, não poderiam se fazer presentes. Vejo um choro de medo e um pedido de conexão. Vejo você iniciando um novo prólogo. Eu pressinto um sorriso. Não será a felicidade definitiva, porque nisso nem eu nem você acreditamos. Será um recomeço, com tudo o que os bons inícios têm a nos ofertar. Eu vejo em você um recém-nascido, a cada novo início de vida. E há muitas vidas nesta vida.

    Então, vim aqui apenas lhe relembrar que a sua nova ideia, a sua porta aberta para a insistência, é medo que nasce com o suspiro. Chore, como eu. Peça conexão. Ampare-se em quem possa lhe apoiar a fazer o melhor neste momento. Eu, agora, tenho aqui na minha pele uma gosminha branca, parecendo uma cera, chamada vérnix. Vou lhe dizer, a alma humana sempre está coberta de vérnix. Para a alma, a vida é renascimento. Não há derrota. Há recomeço. Sinta o vérnix em você, deixando-o escorrer pelas novas possibilidades. A diferença entre nós dois é o que você já recebeu do mundo por acreditar nas pessoas. O caminho que te construiu, resultado do encontro do medo com a insistência, é tudo o que você obteve da vida a partir do momento em que você resolveu acreditar.

    Por isso, acredite.

    Eu e você somos a mesma pessoa.

    Somos recém-nascidos.

2. QUANDO O MEDO NÃO TEVE MEDO DE ESCREVER UMA CARTA PARA VOCÊ.

Oi.

Tudo bem? Parece que não muito. Sinto sua respiração curta, seu descompasso no coração, vejo a sua pupila dilatada, as mãos suadas, as pernas tremendo. Eu sei. Sou eu que provoco isso. Eu sou seu medo.

Desta vez, eu não venho assustar você. Eu tenho medo de continuar a ser só isso na sua vida, um grande fantasma que assombra o seu sossego. Eu fiquei vendo você sentir tanto pavor por minha causa, que resolvi escrever. Eu sei que é meio surreal a ideia do medo virar confidente, mas assumo a esquisitice, porque, afinal de contas, eu sei que o que eu provoco nas pessoas é visto como desproporcional. Muita gente tem medo do medo, justamente porque ele parece ser a porta para a loucura entrar de vez e fazer morada no corpo e na alma. E a loucura é uma das maiores fraquezas de gente que vive neste mundo. E você tem medo de enlouquecer também, porque louco é tratado como gente que precisa ser isolada, temida. Vocês são muito estranhos mesmo: têm medo de enlouquecer, mas tratam o louco como quem precisa ser temido. Eu juro que nunca vou entender isso. Mas o nosso papo aqui não é sobre loucura. É sobre o medo. É sobre mim. Eu hoje chorei. Hoje foi o dia em que o seu medo virou tristeza. Porque eu vi você tão refém, tão inerte, tão assolada, que eu me perguntei: mas o que tanto eu fiz para gerar esse nível de sofrimento? Por que, afinal, o medo tem tanto poder? Fiquei me perguntando se eu queria ter poder sobre você. Fiquei me perguntando se sempre fui assim.

Depois de um tempo em silêncio (sim, até o medo pode meditar), tive um lampejo de compreensão: eu nunca quis ser tudo isso na sua vida. Nunca. Inclusive nem nasci como medo, sou uma história que começou com outro formato. O medo é o final de uma metamorfose. Eu sou uma borboleta às avessas, porque parece que começo com a beleza das asas coloridas, entro num casulo e me transformo em uma lagarta venenosa. Eu explico: sou a continuação do risco e da ansiedade. Eu não nasço como medo. O medo é a minha forma adulta. Quando eu nasço no seu coração, eu sou um bebê, e apareço como *risco*. Depois eu viro um adolescente, se esse risco aumenta – aí eu viro *ansiedade*. E, por último, eu viro medo mesmo, medo, medão, adulto, crescido. Então eu estou lhe dizendo que eu nasço como um alerta, como um risco. Pense num risco, um risco de caneta mesmo. O risco como algo arriscado também pode ser sentido como um traço de caneta, muito longe de ser um inteiro. A ansiedade é assim, um risco, uma percepção de que algo precisa receber atenção. Não é ainda uma coisa que tire o sono. Quando você identifica algum risco, está fazendo bem o seu trabalho, porque a análise do risco pode lhe retirar de algumas roubadas. Mas a sensação que você tem é que ainda possui controle sobre si, quando está apenas avaliando riscos e vendo o que vai fazer de diferente para não entrar na grande roubada que o risco lhe apresenta.

    Tudo o que lhe ameaça a paz pode ser um risco, uma ansiedade ou um medo, dependendo do tamanho que vai ganhando no seu coração. A vida seria ótima se não tivesse nem estado de risco? Não sei. Acho que há beleza no que o sobressalto faz com você. Eu sinto você ficar maior e mais forte, justamente depois de passar pelos espantos. Eu nasço como um risco, vou crescendo e viro ansiedade. A ansiedade é meio adolescente mesmo: hiperativa, impulsiva, meio *over*, tipo um show de rock tocado no corredor de um hospital. A ansiedade faz você tremer, suar, a pupila dilatar. Como um adolescente ao sentir coisas novas e surpreendentes. Só que a sensação não é boa. A ansiedade já vai deixando um rastro mais amargo, um congelamento da sua fluidez. Você vai ficando mais paralisada, e sentir-se menos potente é algo que destrói você aos poucos. As pessoas precisam sentir que podem, que têm capacidade, que se precisarem estarão a postos. A ansiedade, essa danada, vai roubando a certeza, no maior silêncio, e quando você nota, ela já tomou conta. Pode até ser que já tenha virado medo. Portanto, veja, você já me conheceu como risco, como ansiedade e como medo. Eu não tive sempre este tamanho. Talvez seja essa a maior ideia que eu queira passar nesta carta: você não é minha refém. Eu fui crescendo e, portanto, posso voltar a ser menor. Você é dona da sua vida. Eu não quero ter esse poder. Eu fico triste, inclusive, de perceber que você me deu tanto poder. Eu não nasci para isso. Nasci para ser risco, para ser ansiedade, mas quando viro medo, sinto que a nossa relação pode se perder. Pode se tornar abusiva. Eu me sinto agredindo você quando viro pânico, por exemplo. Ou quando eu sou a soma de muitos medos, apertando o seu peito e a sua mente várias vezes ao dia. Não é isso o que eu quero para nós. Sou contagioso. Muita gente anda falando de mim. Perceba a quantidade de mensagens que você recebe no seu telefone, justamente sobre mim. Essas mensagens tratam de todos os medos que você precisa supostamente *aprender a sentir para ficar segura*. Veja que contradição: como ficar segura justamente aprendendo a sentir tantos medos? Eu juro que não fiz isso, foram vocês mesmos, no mundo que parece ao contrário e ninguém reparou, como o Nando Reis escreveu para a Cássia Eller cantar. Vocês, quando espalham medos pela internet, estão me transformando em um vírus. Eu não posso controlar o que fazem comigo. Tenho a capacidade de me espalhar, mas ando triste com o resultado que vejo nos rostos de tanta gente que cruza as ruas do seu país, do seu mundo. Por isso, não me espalhe, mesmo que a sua intenção seja a melhor. Só alertar para os medos não faz ninguém se sentir bem, nem quem conta nem quem escuta. Todos ficam mais atiçados, mais agoniados. Eu não quero ser o dono de tanta gente. Espalhar medo é dar a mim o lugar de trono máximo na vida humana. Veja a quantidade de notícias que você lê todos os dias. Não permita que tantos medos que você nem sabia que pudessem existir façam parte dos seus minutos mais cotidianos e preciosos.

Faça aí um exercício de desligar-se não da tela somente, mas dessa avalanche de medos que invade a sua alma sem pedir licença. As notícias não servem somente para informar, elas têm sido um verdadeiro instrumento de propagação de medos. Você tem o poder de dizer não a tudo isso, a dar-se o direito de se desligar de todas as pretensas ameaças individuais e coletivas que a tela do celular lhe mostra. Você é a dona da sua paz. Você é a escudeira da sua tranquilidade. A paz e a tranquilidade não vendem jornal, não fazem bombar a audiência dos portais. Você pode fazer diferente. A paz e a tranquilidade são as inventoras do modo avião, aquele botão mágico que não serve só para o momento em que você estiver nas nuvens. Em solo firme você pode decidir se afastar, tomar ar, sorrir, brincar com crianças à sua volta, conversar com quem lhe faz a alma cantar, dançar, tomar um café ou chá, meditar, dar uma caminhada e trazer um pouco de natureza para perto. Eu sou muito menor do que a natureza. A natureza é um dos antídotos de minhas formas mais sombrias. Vou lhe confessar: para eu conseguir me silenciar e sentir a tristeza de ser tão invasivo em sua vida, precisei me afastar e me refugiar na natureza. E consegui, só ali, entender tudo o que estou contando aqui.

Esta é a carta do seu medo, que, para entender a relação abusiva que começou a estabelecer com você, precisou se afastar. Sugiro que faça a mesma coisa. Há natureza à sua volta, mesmo que seja um pé de árvore em que possa se recostar. Mas há outras árvores em forma de gente, que lhe amparam. Psicólogos, psiquiatras, médicos de família, acupunturistas, professores de ioga e meditação, palhaços, professores de teatro, amigos que queiram realmente ajudar, familiares que lhe compreendam sem julgar. Tanta gente pode ser uma árvore, um abraço para você! Eu não quero mais estar sozinho, dominando a sua alma. Não nasci pra isso. Eu nasci pra ser risco, traço. Numa folha qualquer da vida você desenha um traço e entende que precisa fazer algo diferente para não cair em roubada. Posso até ser medo, mas não virar esse gás paralisante dos recursos mais lindos de sobrevivência que você tem aí, prontos para serem usados. Eu não quero isso para nós. O medo em si não é o fim da linha, não é a rota da amargura, da solidão, da paralisia ou da impotência completa. É possível conviver com medos, sejam eles reais ou imaginários. No final, todos são reais para quem os sente. A questão é como não fazer do medo o dono da sua vida. Tomar posse da sua alma, conversar com seus medos, enfrentar o silêncio que parece ser o som definitivo que o medo provoca. Conversar com o medo sobre o medo. É o que estou fazendo aqui, com você. Tenho medo de que você continue sendo meu refém. E a forma que encontrei de enfrentar isso foi vir aqui e abrir o jogo. Se você me der tanto poder assim, eu me perco, posso me alastrar em você, viralizar ao longo das horas e dias, até me agigantar e virar uma crise de pânico. Mas, antes que tudo isso aconteça, eu quero dar-lhe um abraço. Aqui, na sombra da árvore. Eu não sirvo para oprimir. Sirvo para alertar, mostrar que é hora de mudar de rota, fugir ou lutar. Veja: sirvo para colocar você em movimento. Meu destino nunca foi transformar-me no dono da sua paralisia.

Quero estar ao seu lado, como risco, ansiedade ou medo. Eu posso voltar a ser um bebê ou um adolescente, se você quiser. Estou entregue à sua força, à beleza que reside na sua capacidade de ser o que bem entender. A vida é uma história que lhe pertence. O medo não é o autor dela. Estou descendo do trono. Não quero isso; se for assim é tirania, abuso de poder. E você pode querer. Se precisar de ajuda profissional, peça, rápido, antes que tudo fique ainda mais sombrio. Há muita gente incrível trabalhando de forma ética perto de você. Psicólogas e psiquiatras, sobretudo, me conhecem profundamente, e podem fazer muito por você. Estou descendo do trono da sua vida. Eu, o seu medo, vou virar, a partir de agora, apenas um medo. Um. Qualquer. Um medo qualquer. Não sou só seu, exclusivo, dominador. Você está livre para procurar alternativas. Suba neste trono. E, assim, vamos juntos. Porque sem medo também não é possível viver. O poeta já dizia, são demais os perigos desta vida...

Bem como são mais inúmeros ainda os caminhos abertos para a alma se expandir.

Em qualquer um deles, estarei por perto. Alertando você quanto a alguns perigos, e aplaudindo suas conquistas. Estou mais tranquilo, agora. Viu como é bom conversar? Falar é transformar medo e tristeza em um bocado de tranquilidade e paz. Até sempre. Nos vemos em alguma esquina surpreendente dos dias.

Com um abraço tranquilo, assino assim a partir de agora,

Um medo qualquer.

3. CARTA DA TRISTEZA, AFIRMANDO O DIREITO QUE ELA TEM DE EXISTIR NA SUA VIDA.

Oi.

Pode ficar aí deitada mesmo, ninguém deixa de ser algo por estar em recolhimento. Há tanta vida aí dentro. Tem gente que precisa de uma tristeza para se redescobrir...

Veja, pode até ficar de olhos fechados, há muito o que se revelar quando as pálpebras fecham suas cortinas. Eu sinto você dando passos novos, em busca de si, com tudo aparentemente imóvel em seu corpo. Eu sou sua tristeza. E quero conversar sobre esse movimento do lado de dentro, tão pouco percebido em sua importância por quem está do lado de fora.

Sei o que está sentindo agora. Tanta gente tentando retirar você da minha companhia, como se eu fosse uma hospedeira ingrata, como se você não pudesse aproveitar nada desse encontro comigo. Eu provoco rechaço, repulsa, rejeição. Há um mundo inteiro dizendo que não sirvo, que só atrapalho, que não há beleza no resultado dos olhos fechados e do corpo reflexivo, com a xícara de café na mão, recostada no sofá. Eu vim dizer, para começo de prosa, que esse equívoco você não vive, e só por isso eu já considero você muito saudável. Porque uma emoção humana não pode jamais ser desprezada ou invisibilizada. Ela precisa ser compreendida, deixando algumas lições. A emoção é uma das professoras sobre você naquele momento, e não se aprende uma aula dando as costas para a professora. As emoções humanas têm essa capacidade, de deixar ensinamentos sobre os estados mais complexos da existência. Elas nos movem, inclusive na direção de uma imagem mais nítida de quem somos. E por eu ser vista como alguém que invade e é indevida, muita gente chega perto de você e tenta fazer com que não me sinta. Aqueles tapinhas nas costas, pensamento positivo, "vai ficar tudo bem", "não fique assim, não quero ver você triste", "mas veja, há tanta coisa bela na sua vida e você não pode ficar triste assim!". Eu já escutei essas e outras frases, convocando a retirar-me de sua vida. As pessoas parecem gentilmente "mandar" que o entristecido leve a tristeza para cantar em outro corpo. Mas você e eu sabemos que ninguém tem esse poder, nem mesmo você, de ordenar eficientemente o rumo de uma emoção. É impossível não sentir a partir de uma ordem externa. O sentimento simplesmente aparece, e deixa você com os pés banhados nele. Pelo menos eu, a tristeza, posso falar que sou assim. Chego e tinjo pelo menos a textura dos seus pés, e você vai ficando mais silenciosa, introspectiva, com menos vigor, apetite e ânimo. Costumo provocar o desejo de chorar, e, se quer um recado meu, deixe a lágrima cair. Ela é a foz de um rio que pode ser um grande pedaço da sua história. Se você fizer uma represa para as suas lágrimas, fará de suas dores antigas verdadeiras águas paradas. E o destino de qualquer água saudável deste mundo é o curso, o fluxo, a andança. Águas precisam andar para cumprirem seu papel. O rumo da lágrima é banhar o rosto. Isso lhe traz calma, alívio físico e emocional, pode até melhorar o seu sono e reduzir a ansiedade e o estresse. A lágrima é parte de mim, é como se fosse a continuação do que eu provoco em você. Alguns acham que, se maquiarem a tristeza com outra emoção qualquer, estarão melhor de saúde mental. Veja que surpreendente para essas pessoas: chorar melhora o humor, chorar faz você se conhecer melhor, traz você para perto do mais humano e profundo que existe nessa alma agora entristecida. O choro é nossa primeira manifestação na vida, e é naqueles primeiros anos, antes de aprendermos a falar, o instrumento de conexão com os demais. O choro é um pedido para que o outro nos veja, construa um olhar empático para o que você vive. A lágrima é uma das maneiras do encontro genuíno que faz acontecer tudo o que os humanos têm de melhor.

Essa história de barrar a lágrima é uma invenção torta, que só piora a saúde das pessoas. Acompanhado a ela vêm as palavras mais guardadas, as sensações mais inconfessáveis. A lágrima dá as mãos a muitas palavras que você precisa enunciar para se sentir minimamente melhor. Quando vê, está dizendo o que nem sabia que precisava dizer. Assim, as lágrimas tristes são um carro que leva palavras no porta-malas, numa viagem que percorre sua alma e chega a lugares inimagináveis. Por isso, chore. Eu vejo tanta gente adoecida no mundo, sem conseguir saber o que é, o que quer, acalentando um vazio sem aparente fim, e uma das minhas hipóteses é a falta de espaço para falar de si, sobretudo quando sofre. O Caetano bem que me descreveu à perfeição, em "Desde que o samba é samba". Ele canta: "A tristeza é senhora". Sim, eu sou uma senhora. Uma senhora que às vezes precisa estar sozinha, no silêncio e na tranquilidade para sentir o lamento da vida. Para então, logo depois, falar, abrir o coração. Sou uma senhora que quer ficar só e que quer gente por perto, não ao mesmo tempo. E a lágrima é minha parceira, me coloca visível nos rostos de quem chora, para justamente receber um olhar, um abraço, uma conversa, um encontro. Eu sou uma senhora que não quer atrapalhar ninguém, apenas fazer sair pedras do coração em forma de água salgada nos olhos.

Vocês não têm conseguido ficar tristes, e cada vez me preocupo mais com isso. A ideia que criaram de ter que apresentar resultado o tempo inteiro, de ter que ser uma *performance* brilhante, é uma das maiores fontes de sofrimento, porque é uma mentira, uma impossibilidade. Ninguém é um vulcão de produtividade interminável. E por não conseguirem ser, se sentem culpados, cheios de frustrações consigo mesmos e que poderiam ter sido evitadas se todos combinassem: vamos assumir que nos entristecemos, caímos, falhamos e lamentamos nossas falhas? E que não precisamos fingir que está tudo bem? "Mentir pra si mesmo é sempre a pior mentira", disse Renato Russo, e talvez ele estivesse prevendo também a mentira do bem-estar da foto com filtro nas redes sociais. Há que se ter espaço para falar da tristeza, há que se encontrar interlocutores com tolerância para escutar o que não é louvável, o que não é êxito absoluto, o que não é resiliência imediata. Gente que possa escutar e conversar com gente triste, sem querer colocar um telhado de alegria ou culpa na fala da tristeza. A tristeza é triste, e não há mal nisso. É parte. Nem sequer é tudo. Quem está triste consegue, e muito bem, diferenciar o que é a tristeza e o que é o resto da vida. É, sim, tomado de uma neblina densa na alma, e tudo parece que fica mais sombrio, mas é nuvem mesmo, que turva a visão, pede mais cautela para continuar seguindo em frente, faz refletir e depois desaparece da frente. Não poder falar disso é adoecedor. A falta da história contada sobre a tristeza é a falta de uma parte da história de quem sofre. Aqui, preciso fazer uma distinção. Muitos me confundem com uma outra experiência, a depressão. Não somos idênticas, nem de longe. Eu diria que, no máximo, a depressão é uma casa em que eu posso ser um dos quartos, mas é um fenômeno muito maior e mais complexo. Deprimir é sentir-se absolutamente impotente na vida, sem saída, inseguro, com uma visão negativa de si e da vida, e por isso mesmo irritado por se ver estagnado, com a autoimagem tão depreciada. A depressão é uma senhora tirânica, percebe? Ela chega e toma conta de tudo, da alma inteira. Eu, a tristeza, sou uma senhorinha lá com meus caprichos, não vou negar, mas você consegue ver muito além do que eu lhe provoco. Na depressão você fica completamente sem chão, sem energia. Não tem vontade, por um tempo considerável (pense em, pelo menos, duas semanas assim), de fazer o que mais lhe agrada. Se você está se sentindo assim, não sou eu, não é tristeza. Procure ajuda, informe-se como chegar a um psicólogo ou psiquiatra, converse sobre tudo o que sente e não esconda nada que lhe pareça ridículo, exagerado, despropositado e vergonhoso. Você pode ter recebido a visita da depressão. Vou lhe dizer, ela é assim: chega de malas sem avisar, não dá uma palavra, e vai se apossando de tudo, até você se aperceber e senti-la como a dona dos seus dias.

Já eu, a tristeza, sou o que vem depois de uma perda, de uma frustração, de uma mágoa, de um choque de expectativas com alguém ou com alguma ideia ou lugar. O fim de um relacionamento, a decepção com alguém que você confiava, a desilusão com alguma instituição a que pertence (família, escola, trabalho, igreja). Posso aparecer quando você deixa de acreditar em alguma coisa que era importante, que lhe dava sustentação. Pense comigo: a gente leva tempo para se vincular às coisas, não se apaixona ou gosta de qualquer pessoa ou coisa, assim, do nada. O movimento inverso, o de se desvincular, o de se despedir, o de perder, é também um período que pode até ser demorado, dependendo do tanto de dor que estiver envolvida. Não fuja dessa dor. Busque gente para estar ao lado dela e de você, mas sinta que ela pode ser uma nuvem espessa que, com o tempo, vai virando brisa, até de repente você nem percebê-la mais. Eu sou essa nuvem temporária. Apareço sempre que você se desilude. Pronto, agora você já sabe: eu sou a cena seguinte da sua vida depois da desilusão. Estarei por perto, e a decisão de assumir que eu existo é sua. Quanto antes o fizer, melhor para você. Sou uma ausência. Sou uma força diante do que não se tem mais. Depois de não ter mais aquilo que era importante, você passa a me ter ao seu lado. Mas não existo para lhe fazer mal. Existo para você se olhar novamente. Eu existo como uma pausa dos tempos acelerados em que você se meteu. Aproveite-me como um convite para fazer belas voltas em torno das suas perguntas mais profundas sobre si, sobre a vida, sobre suas escolhas. Sem mim, eu lhe asseguro: você não teria conseguido melhorar tanto a sua capacidade de escolher o que lhe faz bem. Sou um sinal amarelo que fica guardado na memória, e que no fundo é amigo. Não sou do mal. Eu sou uma senhora estranha, sim, que deixo alguns momentos desagradáveis no meio do processo, mas permita que eu possa ser também a forma de você ver saídas que antes não imaginava para si. Eu sou uma espécie de tempo esticado, que parece não passar enquanto está acontecendo na sua vida. Faço você se sentir cansada, aborrecida, decepcionada. Mas lembre-se de outros momentos em que você esteve imersa em mim. Lembre-se do que você conseguiu sentir e pensar diferente. Lembre-se das associações que fez, pela primeira vez, sobre o que aquela história triste significou. Admita para você mesma: só foi possível fazer toda aquela reflexão naquele estado de lamento, com as lágrimas prestes a sair ou já inundando o seu rosto. Nas condições normais de temperatura e pressão você não pensaria naquele assunto, daquela forma. E nem conseguiria resgatar tantos sentimentos que andavam tão bem escondidos. Lembre-se, também, dos saltos de amadurecimento que você deu. Aqui a gente pode ir terminando esta conversa, porque se você está de acordo com essa ideia, já conseguiu fazer as pazes comigo. Eu sou necessária. Eu sou a mãe da sua resiliência, que é a capacidade de você fazer do sofrimento um processo de aprendizagem. Eu sou a mãe da sua resiliência. A tristeza é senhora.

Mas uma senhora de respeito.

E que aprecia todo o seu caminho.

Daqui, do lado do seu olhar entristecido, prevejo revoluções breves em você. Com a melhor notícia: é você quem vai operar as transformações na sua própria vida. Obrigada por me aceitar com tanta inteireza, desta vez. Juntas, vamos bem longe. E pode deixar, nunca lhe abandonarei. Porque não existe vida sem mim. Quem lhe disser isso, estará lhe roubando um pedaço essencial de você. E essência é algo que ninguém merece deixar roubar de si.

Agora eu vejo você se levantar, com pensamentos e sentimentos novos. A chuva está caindo lá fora. Desde que o samba é samba, é assim.

4. A SAUDADE, QUE PARECIA SER SOMENTE DOR, VEM LEMBRAR QUE É SAÚDE.

Oi.

Eu vi você ali, tomada de muitos dedos de prosa com a tristeza, e pensei ser justamente a fresta aberta que eu precisava para passar e aproveitar o seu estado de introspecção. Eu sou a saudade. Tem gente que acha que sou gêmea da tristeza, alguns até pensam que somos univitelinas. Mas posso lhe assegurar que somos apenas vizinhas, amigas, feitas do mesmo sabor agridoce, mas há muito o que me difere dela. Eu quis entrar justamente porque vi em você um tanto de mim. Você me permite entrar? Eu sou uma espiral do tempo. Eu sou uma tecelagem que alinhava o passado ao presente, e se sou esta linha, sou a verdadeira máquina do tempo. Através de mim, você viaja a outras vidas que já viveu nesta vida. Porque eu existo em você, a ruína pode ser reimaginada como parede recém-pintada. Você volta a sentir o cheiro da tinta, a textura da argamassa, os quadros pendurados e o relógio na parede. Não são memórias somente visuais. A gente lembra com o corpo todo. Eu sou a chance de você voltar aos cheiros, aos sons, às cores, às texturas, aos gostos. Sou feita dos cinco sentidos. Por isso, eu te relembro: há partes da sua saudade que talvez você não revisite.

Quais são os sentidos lembrados, e aqueles esquecidos por você, quando você os utiliza para florear as suas lembranças saudosas? Não se contente com uma imagem. Coloque cheiro nela, perfume a sua nostalgia. Escute os sons que voltam a soprar as recordações. Toque no mundo que já existiu na sua vida. Vá lamber seu pretérito imperfeito. Por falar em paladar, deixe-me assumir uma coisa: sou agridoce mesmo. Sou o sabor da ambivalência, sou a delícia e a dor, sou o medo de voltar à cena passada e o prazer de reencontrá-la viva na memória. Como você costuma lidar com fenômenos ambivalentes? Você vai perceber que, ao começar a se lembrar de algo de que sente saudade, usará um filtro que resgatará a melhor parte daquela cena. Porque, se é saudade, é porque deixou marca boa, porque fez sentido em algum sentido. Depois, se você ficar ao meu lado mais tempo, investindo na recordação, vai fazer o *download* das partes desagradáveis também. Aí eu fico mais complexa, e por isso mesmo agridoce. Você só chega a me ver como uma soma de opostos se ficar mais tempo no ato de se lembrar. Caso queira uma viagem ao tempo mais ligeira, vai se deparar com as boas lembranças, e tudo bem. Faz parte. Faz bem.

E faz mesmo. Lembrar do que já não está presente hoje traz uma enormidade de benefícios. Você pode recuperar partes de você, para serem ativadas hoje mesmo, que andavam esquecidas num canto. A vida é uma história que tem cantos. E cantos, você sabe, existem para receber gavetas que guardam coisas, para que depois nos esqueçamos onde as deixamos. É nas faxinas que percorremos o passado recente da casa, e em todas elas reencontramos fragmentos do que já fomos. Eu, a saudade, posso ser muito mais do que uma lembrança. Eu sou uma faxina das boas, que traz papeizinhos soterrados nas terras densas do tempo. Eu sou um exercício de arqueologia. Sentir saudade é desarrumar a memória, é trazer de volta coisas que há muito você não se lembrava de ter sido. Uma faxina começa desarrumando tudo, para depois trazer mais clareza ao ambiente. Esta sou eu.

Quando você estiver ao meu lado, vai perceber que também posso ser o instrumento para você resgatar, lembrar e construir força para os seus dias. Mas pode me perguntar, como assim lembrar e chorar das saudades que sinto pode me fazer forte? Eu explico: ao revisitar suas reminiscências, vai se lembrar da história do sentido que a vida assumiu para você. Porque o desenvolvimento de um ser humano é, em poucas palavras, a arte de encontrar sentido para estar vivo em cada fase. O que foi importante para você ontem pode tranquilamente não ser mais, é parte do caminho. Mas você vai se recordar de como conseguiu, em tão tenra idade, com tão pouca experiência, fazer dos seus dias lugares interessantes para se habitar. Você vai se assombrar ao se ver tomando decisões corajosas, que hoje talvez não se sentisse mais capaz. Vai se reaver com momentos em que conseguiu aprender de lances tristíssimos, pesados mesmo, e que fizeram parte daquilo que você nem tem saudade, mas acaba se lembrando com as cenas que lhe fazem falta. Ao se ver em tantos dilemas já vividos e encerrados, você coloca novos adjetivos em quem já foi. Experimente criar novas palavras que qualifiquem o que conseguiu fazer da vida, lá atrás. Esqueça os rótulos que lhe deram. Por um momento, deixe de se ver como aprendeu a se ver. Invente. As palavras estão aí, à sua disposição, para serem a ponte entre o que você foi e o que você não imaginava ter sido.

Sinta o poder disso: saudade é imaginar, não é somente lembrar. Saudade é recriação. Porque não há um retorno às mesmas estradas vividas, temos a bênção de não nos lembrarmos perfeitamente de tudo. O que nos falta na lembrança é justamente o que dá espaço para a capacidade de reelaborar. A memória é uma história que você reconta, várias vezes, e cada vez que a revisita, surgem sentimentos e ideias novas sobre o que já passou. Essa sensação é ótima! Faz brotar a chama da autonomia, você se sente dona da própria vida. Minha vida, minha memória, minhas regras. Sirvo para você ampliar a visão do que já foi. O passado não é uma estante empoeirada, para a qual se retorna somente retirando o pó e o mofo. O passado é uma redação incompleta, sempre à espera dos parágrafos seguintes. Vá lá. A caneta-tinteiro está na sua mão...

Eu sou um alinhavo, já disse lá atrás. Como aqueles passatempos de criança, de ligar os pontos numerados até terminar o contorno da figura. Mas, como não gosto de ser previsível, pense em mim como um exercício de ligar os pontos, sem os números previamente assinalados. Você é quem vai associando os pensamentos e os sentimentos, até chegar a um contorno novo para uma cena antiga. Sou uma nova moldura para a foto envelhecida e amarelada. O que aconteceria com as suas lembranças queridas, caso voltasse nelas para colocar uma moldura branca moderna em uma memória neoclássica? O que falta para que se permita usar a saudade para reescrever o que parecia imutável nas suas lembranças?

Eu vejo você fazendo tudo isso com as suas memórias, e posso ver seus olhos brilhando. Há beleza na saudade. Você sente que há uma relação lógica que faz as cenas se encadearem, vê a sua história com continuidade. A criança que você pôde ser traz elementos de como age atualmente. Adolescer pode ter sido duro, mas fez com que você aprendesse a romper com uma tradição familiar em algum nível, para começar a busca de mais autenticidade, de ser quem você é. Cada ponto dessa linha é parte, é continuação de uma história cheia de surpresas, viradas, delícias e amores. É muito satisfatório ver a vida como uma narrativa que flui, que se explica nas causas e nos efeitos. Vou dar um exemplo: ao se lembrar da importância de uma professora que lhe apoiava nas suas dificuldades para aprender uma matéria que lhe desafiava, você pode reencontrar a sua capacidade de perseverar, de se sentir impulsionada por um olhar amoroso, de ser maior que as duras dificuldades que você sentia com aqueles estudos. As saudades nos mostram o formato de nossas fibras musculares da alma. Elas são como microscópios, que nos levam a entender a gênese dos momentos mais incríveis que pudemos viver.

Que bom. Estou olhando para você, agora, e encontro outra cor em seus olhos. Parece que algo aconteceu, só da gente conversar sobre sentir saudade. Você é, ainda hoje, o que de melhor pôde ser, em todas as fases anteriores. Há características marcantes suas que sempre estiveram presentes. Sentir saudade é o que vai comprovar a tese. As suas relações mais duradouras tiveram essa longevidade também porque você interferiu nelas, querendo que durassem mais. Você operou sobre a sua vida inteira. Sou eu quem lhe mostro, e assim você se aquece. Eu sou uma presença quando tudo parece ausência. Você é o desejo de se reencontrar. Vamos juntas. Ao meu lado, você vai entender melhor o que de fato é mais importante. Não se perca nas cenas, somente descrevendo-as. Lembre-se dos valores que lhe eram fundamentais. Traga para hoje, aqui e agora, a ética que sempre pautou suas escolhas. E note que as cenas que lhe dão mais saudade têm algo em comum. Pode ser um tipo de encontro. Pode ser um sentimento. Pode ser uma característica sua que aparece repetitivamente nas histórias. Eu lhe mostro o que é mais importante para você. A saudade é a porta de saída para algumas ilusões. Você é um compêndio de experiência vivida, aproveite-me para encontrar a seiva do que importa de fato. Deixe cair os penduricalhos que não fazem mais sentido. Estamos juntas. Ao meu lado, você pode dar mais passos rumo à vida que vale a pena ser vivida. Porque a chave para ter momentos para se relembrar é uma só: trazer o tempo presente para habitar mais a vida. Se a vida não for vivida com presença, não haverá memória pungente para ser recordada, apenas cenas borradas na velocidade acelerada que tanto faz doer depois. Eu sou mesmo uma espiral do tempo. Sentindo saudade, você se empodera para fazer o melhor futuro realmente acontecer para você. E reaprende a estar presente, no único tempo que realmente importa, que é o aqui e o agora. Afinal, é neste exato momento que a lágrima escorre. A saudade é uma reedição, revista e ampliada, do futuro que você jamais imaginou ser.

5. CARTA DA CULPA, QUE NÃO QUER SE SENTIR CULPADA POR SER TÃO PRESENTE NA SUA VIDA.

Oi.

Desculpe.

Aliás, esta é a palavra que eu mais provoco em você: desculpe. Só eu sei quantas vezes essas oito letras doídas saíram da sua boca. Des-culpe. O avesso da culpa que você sente. "Desfaça a culpa em mim, por favor", é o que você pede quando diz "desculpe-me". Eu sei que eu sou a origem delas. Mas quero conversar também sobre o que vem antes de mim. Eu não sou o início de todas as suas falhas. Eu sou o que leva você a se sentir assim, desmoralizada. Mas o cenário é muito mais complexo. Vale a pena a gente poder conversar. Eu, a culpa, estou aqui querendo ajudar na sua compreensão de muito mais coisas do que suas falhas humanas.

Existo independentemente do que você sinta. Em todas as sociedades e culturas existem regras. Quem descumpri-las será efetivamente culpado, mesmo que não se sinta assim. Entre os seres humanos, a percepção do descumprimento das regras sociais nem sempre é clara; há sensações e sentimentos sobre o ato de transgredir as normas que fazem da vida um debate acalorado. Por isso há a justiça – uma forma dos homens levarem o tema da culpa para um debate mais amplo. Quando algo está posto judicialmente, é provável que nenhuma das partes se sinta culpada. Ou, uma delas se sinta menos culpada do que a outra. Quem tem culpa passa a ter menos privilégios, porque tem uma dívida financeira, patrimonial ou moral com quem foi lesado. Eu quis começar falando disso aqui, porque estou nos livros de direito, acompanhando a transformação das sociedades. Já foi culpa de uma mulher o fato dela ser adúltera. Imagine o tamanho do absurdo! Eu me indignava com essa situação. Ainda bem que entenderam que o corpo da mulher lhe pertence, e não ao homem com quem ela se relaciona. Esse exemplo mostra como eu sou um conceito que muda de forma e de conteúdo à medida que a sociedade decide viver de forma diferente. Moro também na relação de muitas pessoas com a figura de Deus. Há alguns tipos de dogmas religiosos que instilam culpa em seus seguidores, como forma de voltar a pessoa à conduta rigorosa que agradaria àquela divindade. Já me disseram que eu cresço e apareço nesses ambientes, e preciso mesmo me cuidar, senão me envaideço de ter tanto alcance. Eu sou uma espécie de espelho para você se ver. Mas, sendo um espelho, estou sempre no risco de me sentir poderosa demais quando me colocam no centro de um grupo tão grande. Deve ser difícil para você ter culpa de não se relacionar bem com Deus, ou de não ser exatamente o que você pensa que Ele quer de você. É uma experiência certamente carregada de sofrimento. Eu nem queria que tivesse toda essa envergadura, mas sinto que sou usada como instrumento de coerção – quando alguns líderes religiosos sentem que você está saindo um pouco das regras, usam-me para fazer você se sentir mal, e assim voltar ao lugar de que jamais deveria ter saído. Eu me preocupo com isso. Deve haver uma forma de vocês, humanos, serem falhos, honestos com seus processos de desenvolvimento pessoal e espiritual, e ainda assim merecerem pertencer a um grupo ou credo. Se Deus é mesmo amor, Ele deve acolher as suas falhas com menos austeridade do que os humanos que o representam usam contigo. Além disso, eu não quero estar presente em momentos em que você questionar a sua fé. Eu não quero estar nessa cena. Quero deixar você em paz com as duas dúvidas, que são demasiadamente humanas. Desconheço, nas minhas andanças, alguém que não tenha fraquejado na capacidade de acreditar no Deus professado. Vocês não merecem se sentir culpados por isso. Merecem, sim, conversar e perceber que caminhos se abrem quando a dúvida, em qualquer instância, vem lhe abraçar por dias a fio.

Eu também sou um sentimento da vida mais cotidiana, que assola gentes que nem em Deus acreditam, e tampouco sentem culpa por isso. Eu sou um desconsolo, um incômodo que entristece, quando você se dá conta de não ter feito o que deveria ter sido feito, ou do que está errado para você. Por isso eu sou do mundo, da cultura, das religiões, mas também tenho essa parte pessoal e intransferível a cada um de vocês. Você sente culpa por agir de determinada forma, e quando vai conversar com uma amiga, ela lhe diz: "Mas por que você está se sentindo tão culpada assim?". A regra que ela se impõe, sobre o que é o certo e o errado na forma de levar a vida, é diferente da sua. Eu sou como a impressão digital, para cada humano tenho uma hora distinta para aparecer. Vim lhe alertar de algumas coisas. Cuidado comigo, quando me espalho ninguém me junta. Eu sou espaçosa. Vou chegando no meio da calma, por uma coisinha pequena, e se você não cuidar do que eu provoco eu me alastro pelas frestas mais escondidas do seu coração. Cuide do que eu lhe provoco. Vá entender que relações da sua vida me chamam mais para perto. E que lembranças lhe fazem abrir a porta para eu entrar e me apossar da sua paz. Não me tenha como um dado, como algo que precisa apenas ser aceito. Sou uma linha de tricô cheia de nós, e que assim mesmo vai tecendo complicações. Eu me aposso tanto da sua paz, que faço você se sentir muito menos capaz e com menos direito de agir sobre o mundo. Se você não cuidar do que eu lhe provoco, pode até achar que tudo é culpa sua. Se uma amiga não liga para você, aposto que pensa: "O que eu fiz para ela não me ligar? Será que eu a magoei de alguma forma?". Você pode sentir culpas desproporcionais, ou até mesmo imaginárias, fantasiosas, criadas na sua mente já toda tomada pela minha interferência. (Olha, conversar comigo é difícil mesmo, eu vou dizendo as coisas assim na cara, porque já nasci no meio da raiva e da tristeza, então acho que tenho menos polimento. Como dizem na Bahia, "vá desculpando aí"...) Eu faço você se justificar o tempo todo, já percebeu?

Quando alguém aponta a sua culpa ou quando você sente que pisou na bola, começa a construir a história que possa fazer o outro lhe des-culpar. A história pode virar um grande rocambole de medos de não ser amada, mentiras para não perder a admiração daquela pessoa. Eu sou o arrepio do medo de perder o amor do outro. Ninguém quer ser desamado, mas também acho que mudanças precisam acontecer em toda a sociedade para que tenham menos medo de parecer erráticos. Há de haver mais compaixão entre vocês, já cantou o Mestre Gil. Quando apareço, sempre assinalo algum problema de empatia na forma de acolher o erro. Pode apostar: quando eu sou anunciada, há julgamento. Eu sou o contrário do abraço que consegue entender o outro, e ajudá-lo a se sentir capaz de reparar o que fez. Fica a dica. Não invista em mim, se quiser fazer laços profundos e duradouros. Passe por mim, se for inevitável, mas não reduza nenhuma história à culpa. Nenhum de vocês merece ficar congelado nesse rótulo. Eu sou um dos rótulos preferidos que vocês usam para excluir pessoas que poderiam usar o erro para melhorar na vida. Lembra daquele dia que você estava conversando sobre se sentir uma impostora? Fui eu a força a lhe influenciar naquela fala. Era você num medo gigante de ser desmascarada, como se tivesse mantido até ali uma máscara que ocultava a sua real essência podre. Aquele dia eu tentei ir embora, de tanto que eu me compadeci com você. Mas você estava tão certa de que era uma farsa, que por aquele momento imaginei que meu lugar era lhe fazendo sentir aquilo mesmo. Espero que você tenha passado por essa cena e ido para outros lugares de reflexão, já que certamente ninguém é mentira. Todos vocês vivem um teatro de máscaras, um drama cheio de esconderijos e exposições. Vocês são tão cheios de contornos, contradições e desejos inconfessáveis, que é compreensível que revelem somente uma parte de si para o mundo. Não cultive a crença de que você é essencialmente um engodo. Veja se não vale a pena expor partes que você teme serem criticadas. Pense em quando era criança, antes de entender como o mundo funcionava e me chamar para perto da sua rotina. Você brincava, caía, errava, e se levantava sem orgulho nem culpa, apenas certa de que tinha o direito de tentar mais uma vez. Foi essa certeza, da sua capacidade de se refazer após a falha, que lhe trouxe aqui. Eu posso lhe paralisar, impedir que você viva a sua potência e que se realize. E, eu lhe asseguro, não é para isso que existo.

Eu sou um sinal amarelo, não sou um sinal vermelho. Não existo para impedir que você seja o que lhe é possível ser. Meu lugar não é o do impedimento, da expulsão de sua capacidade de existir. Tampouco sou sinal verde, dando aval absoluto para que aja somente conforme a sua cabeça, sem se preocupar com os demais e com a convivência social. Vocês chamam de psicopatas aqueles que, no encontro comigo, continuam seguindo adiante, vendo-me como um sinal verde para a continuação de atos destrutivos. Eu sou um sinal amarelo, um chamado de atenção, para você se deter, interromper a velocidade, a direção, a forma como anda pelas ruas da vida, para entender se o que está fazendo está de acordo com o que lhe deixa em paz. Venho para lhe perguntar se está agindo conforme seus valores e intenções com o mundo. Eu lhe ajudo a voltar ao seu melhor, desde que não me tome como um flagelo, e não pare o fluxo da sua caminhada. Eu não sou um sinal vermelho, sou um sinal amarelo. Para você seguir atenta a isso – mas, sobretudo, seguir adiante.

Eu lhe mostro os débitos que você acumula nas relações humanas, e assim lhe devolvo o direito à sua melhor sensação de inteireza. Fique com o mal-estar, não o transfira para os outros, ninguém é responsável pelas suas dores. Assuma o que é seu, mesmo que lhe doa. Tolere, aos poucos. Peça apoio. Eu lhe garanto que qualquer terapia é sobre mim. Não tenha vergonha nem medo absoluto de falar a meu respeito. Eu sou a parte mais inequívoca da sua vida, e da vida de todo mundo que procura ajuda profissional. Quero, a partir de hoje, convidar você a me colocar no lugar de uma parceira, alguém com quem pode conversar. Olhe para mim. Veja o que enxerga sobre você. É o que realmente importa. O que a culpa fala sobre o que você precisa ajustar na sua vida para que fique interessante e boa de verdade. Se eu estou muito presente, há coisas que você pode mudar. Eu não existo pra ser uma sombra contínua nos dias. Eu sou um sinal amarelo. Você merece ser muito mais do que uma coleção de culpas. Você merece fazer de mim um instrumento para se conhecer melhor, bem mais profundamente do que jamais se aventurou. Por isso quero ser alerta, sei que sou necessária, sei que faço parte, mas vim aqui hoje para ousar lhe convidar a responder uma pergunta: "O que falta para você fazer de mim uma ausência?". Que partes da sua vida já podem ser transformadas, a ponto de eu não precisar habitá-las? Viu que você sorriu agora? O sorriso que lhe visitou agora foi o da autonomia. Eu fico muito menor diante dela. O seu caminho merecido é este: o de entender quem você é, o que quer, o que é possível transformar a partir disso, e fazer o sorriso da autonomia chegar como uma brisa. Vá, seja você, é merecido demais. Prometo não lhe abandonar jamais, justamente para lhe apoiar na sua jornada de existir com sentido cada vez maior. Eu, por saber que posso chegar a ser prisão, quero mesmo é ser testemunha da sua liberdade.

**6. O CIÚME
VEM LHE ALERTAR
QUE ELE SABE
BEM O QUE NÃO
É AMOR.**

Oi.

Despedidas lhe fazem mal, não é mesmo? As mãos, antes coladas no seu amor, agora estão ímpares. Mãos são pares, jamais funcionaram bem na imparidade. Pelo menos isso é o que você pensa, sente e faz. A pessoa que se foi, logo ali, e já volta, está agora na sua fantasia, e você constrói cenários aterrorizantes, em que está prestes a perdê-la. Eu sou o personagem principal dessa cena. Eu sou o ciúme. Estou aproveitando que está sozinha e decidiu me chamar para perto. Vou lhe dar uma chance, vejo você confusa e sentindo que está perdendo a lucidez. E pode ser mesmo verdade, porque eu embriago a visão de quem me sente, a ponto de fazê-la perder o contato com a realidade.

Você já parou para se perguntar se acredita que eu seja uma virtude ou um vício? Reflita sobre a diferença que faz para quem me sente. Dependendo do lugar em que me coloca, vai pensar mais ou menos na necessidade de tratar esse sentimento. Aqui começa um dos maiores nós que atam as pessoas aos meus caprichos. Vocês decidiram que eu sou uma conduta desejável, moralmente aceitável e com algum nível de eficácia. Passaram a me ver como uma parte inseparável das relações íntimas – sejam elas de amor conjugal, fraterno ou até de amizade. Mas, devo confessar, vocês me valorizam mesmo é nas relações de casal. Eu sou parte das conversas de gente de fora e gente de dentro dos relacionamentos. Provoco o fogo. E os curiosos me veem e atiçam mais querosene. Já percebeu como as pessoas vêm lhe dizer coisas que fazem você perder a tranquilidade? Eu sou um dos conteúdos mais requisitados nas rodas de conversa, uma espécie de *trending topic* da fofoca. Aconteço com tanta facilidade entre os humanos justamente por acreditarem que sou uma manifestação amorosa. Não há maior equívoco que esse entre os amantes, e na percepção das pessoas que veem o fenômeno de longe. Vocês acham que eu sou como um selo, que expressa a magnitude e a reverberação do amor entre duas pessoas. Essa ideia é perigosa demais, porque, quando eu entro em cena, o amor perde o componente libertário. Diante de mim, você deixa do lado de fora da relação o prazer de um amor que contribua para a autonomia e para a realização das pessoas. Eu sou popular demais justamente por confundirem amor com posse. A paixão, aquela labareda que tantos confundem com amor, traz o desejo de um se fundir ao outro, de viver um projeto de vida a dois com a obrigação de ser a completude perfeita para quem sempre viverá na falta. A fase da paixão é o tempo perfeito para eu entrar livremente nos corações viciados em se querer sem freio. Ao mesmo tempo em que eu incomodo, pareço ser fundamental para a relação ter um nível de energia tão intenso, mas tão intenso, que abandone o maior dos fantasmas dos apaixonados, que é a indiferença.

Eu vim para lhe dizer que eu não sou o que você pensa de mim. Eu sou uma forma de lidar com o medo, real ou imaginário, da perda do amor. A maior dificuldade existencial que os humanos têm na vida é aceitar perdas, apesar dessa ser a grande rotina que marca os dias. Vocês não investem neste aprendizado; aprender a perder é o dever de casa mais adiado, o enfrentamento mais doloroso diante do qual há sempre alguém dizendo "não foi nada", ofertando presentes como substitutos ou simplesmente enunciando aquela frase sem nenhum efeito, "vai passar, o tempo cura tudo". Há que querer aprender a perder. Essa é a grande marca do amadurecimento humano, e ela não chega sem muito empenho.

O medo de perder o amor me convida a existir. A maior parte dos medos é irracional, e nem por isso vocês ficam em paz quando percebem que é um temor infundado. O trabalho é outro: ficar com o incômodo, entender o que ele diz. O medo é uma pergunta sobre você, e eu apareço quando você desiste de falar sobre isso. Fale, converse com as pessoas, busque ajuda. Preste atenção às relações que lhe enfraquecem, que fazem você se sentir menor, que não confirmam a beleza de estar com você, que ameaçam (ainda que veladamente) deixar você a sós. Isso pode acontecer com família, com amigos, com amantes. A vida boa também inclui relações que lhe apoiam a ser quem você é, que lhe ofertam um abraço nas dores, sem prescrever o amargo veneno do abandono. Quanto mais você se sente amada, respeitada e legitimada nos diferentes relacionamentos, menos eu tenho chance de lhe importunar. Retire-me, portanto, do papel ingrato, como se eu fosse um disciplinador ou juiz da monogamia da sua relação. Eu não garanto isso, só apareço para deixar a história mais tensa, irritante, e potencialmente violenta. Por acharem até hoje que eu sou um fiel defensor do amor, homens ficam cegos na minha presença e cometem violências indefensáveis contra suas companheiras – podendo chegar ao feminicídio, marca do mais absoluto crime machista, infelizmente ainda uma realidade a ser combatida. Eu vou lhe confessar, eu vim aqui porque não quero mais ser a fonte de tanta dor. Eu não quero ser usado como desculpa para atos criminosos. Os homens que assumam seus dividendos com a justiça e consigo mesmos. Há relacionamentos ciumentos, em que viro um adjetivo do encontro entre aquelas duas pessoas. As relações de casal são contextos de vida que fazem com que os adultos se vejam de uma forma inédita, em seu melhor e em seu pior. O encontro entre duas pessoas ergue um funcionamento de encaixe que pode ser complementar: um e outro se alimentam daquele padrão ciumento, e passam a se identificar com essa forma de levar a história a dois. Quanto mais um invade o outro com perguntas, mais o outro evade em reservas, silêncios ou ressentimentos. Um desafia e desconfia, o outro se retrai. Eu não promovo o encontro, somente a falta de consenso. Já me vi várias vezes sendo uma teia, que enreda os amantes e mais um tanto de pessoas, numa fantasia destrutiva que só causa dor, e nada protege, conforta ou garante. Eu sou filho e pai da ansiedade. A impossibilidade de controlar as emoções de qualquer outro faz do amor uma estrada que se percorre com alguma ansiedade. Afinal de contas, no afã de querer prever ou tornar previsível uma história, a ansiedade vem com seus impulsos irrefreáveis e faz do momento mais tranquilo do amor uma cena de tons berrantes. Quando percebem os efeitos destrutivos que eu causo, posso lhes trazer ainda mais ansiedade, pela vontade de fazer tudo diferente, reparando uma palavra ou um ato que tenha sido inadequado ou impertinente ao espaço do casal. Veja bem, eu sou uma das formas do ódio se manifestar ao lado do amor. Esse é um dos absurdos de uma cultura ainda tão patriarcal. Vocês me validam para expressar o ódio e os comportamentos violentos entre pessoas que supostamente se amam. É me usando como instrumento que vocês sustentam as ideias mais doentes sobre desigualdades entre homens e mulheres, abusos de poder e aceitação da humilhação como uma cena ainda possível entre casais. Eu vim para você entender isso, e se tratar. Estou lhe dando a mão para você encontrar a saída do labirinto. Eu não sou amor, eu não sou benéfico, eu não sou garantia. Eu sou combustível para o pior que possa existir entre duas pessoas. Eu sou uma forma de pensamento obsessivo, que pode ser transformado, reciclado em formas mais saudáveis para a sua existência. Desista das teorias conspiratórias que eu lhe ajudo a construir. Eu sou este, o solo fértil para a adubagem de filmes de terror paranoicos, que você termina por aceitar como se fossem verdades absolutas. Você não precisa de mim para ser feliz. Encontre em você o sentido de precisar dominar, possuir, encarcerar o outro. E também entender por que aceita ser humilhada como mulher, diante do medo infantil daquela pessoa que precisa se tratar para conseguir abrir o coração para a vulnerabilidade do encontro amoroso. Quando amamos, não possuímos. Quando amamos, não temos a certeza de nenhuma eternidade. O amor pode se extinguir pela separação ou pela morte. Aproveite o amor para aprender a perder. Comece entendendo quais são as ilusões que você faz brotar a cada dia, a cada pensamento, sobre aquela pessoa que você ama. Aprender a perder, como o grande exercício de toda uma vida; aprender a perder as certezas, como o objetivo final. Para isso também nos apaixonamos, para isso também nos aventuramos no amor. Não há como represar a autonomia do amor sobre si mesmo. Ele se faz e se desfaz, ele vai e vem, à revelia dos ódios, dos desejos de amar e das ilusões de controle e domínio. Amar é, sim, entregar-se à incerteza. É aí que o amor encontra sua força. A incerteza é o espaço aberto para a liberdade poder ser experimentada. Amar é ganhar oxigênio para ser mais próxima de quem você gostaria de ser.

7. UMA CARTA DA RAIVA, IRRITADA POR SER SILENCIADA EM TANTOS CORPOS.

Oi.

Eu sou de ir direto ao ponto.

Repare. Eu posso até conversar com você numa boa, desde que você não venha me colocando aí como a produtora do caos do mundo. Eu me irrito muito de alguém achar que eu sou só isso. Eu estou aqui para falar de mim em amplo sentido. Chega dessa visão estreita sobre mim. Chega. Eu sou a raiva. Eu vim provar que eu posso ser boa. Por isso aproveitei um momento de calmaria no seu olhar para chegar aqui em paz. Porque até eu posso ser da paz, sabia?

Não começo na sua vida como raiva. Você me conhece primeiro como agressividade. E aposto que usa as duas palavras indistintamente. Mas veja, a agressividade é um mecanismo de sobrevivência. Uma força motriz que leva animais (e vocês, humanos) a se erguerem diante das ameaças do ambiente. É a agressividade que lhes preserva enquanto espécie humana. Muitos dos seus problemas, dos mais básicos aos mais complexos, vocês somente conseguem resolver porque a agressividade aparece como impulso energético. A agressividade é a usina hidrelétrica da ação, e as comportas se abrem diante de um risco iminente. É tudo tão distorcido na sua cabeça, que eu vou dar exemplos de todos os tipos. O bebê, quando chora, está usando essa energia para buscar o que é fundamental à sua sobrevivência. Se ele se calasse, se deixasse de ter esse instrumento, não saberíamos quando ele está com fome, sede, sono, cansaço, suado ou com xixi na fralda. Você nasceu assim, o choro do primeiro minuto de vida é um dos sinais de que tudo está indo bem no princípio dos seus tempos. Um choro, que alguns de vocês imaginam como raivoso, é apenas a agressividade ao mostrar a urgência do contato pele a pele, da conexão com a mãe fora do útero, com o seio que passa a ser uma das fontes de segurança. Nada na vida de um bebê tem tons pastéis (para falar a verdade, nunca entendi essa paleta de cores nos quartos de bebês, se eles são tão cores de Almodóvar, cores de Frida Kahlo, cores; como muito calmamente canta Adriana Calcanhotto). Tudo começa com intensidade, o bebê nasce frágil demais diante de todas as novidades que lhe parecem assustadoras. Ele precisa reagir de alguma forma, entende? A agressividade é que o sustenta vivo, é saudável e é uma forma dele reivindicar a existência, com tudo o que ele precisa. Da mesma forma em que a mãe, na hora do parto – se não estiver totalmente anestesiada ou vivido violência obstétrica –, terá o desejo de se aninhar com seu bebê, e sofrerá com sua separação. A ansiedade dela pelo retorno do bebê ao quarto, enquanto os hospitais fazem tantos procedimentos, é parte da agressividade mantenedora da vida. Essa marca da maternidade, de defender os filhos nos momentos mais delicados, é parte dessa energia. A agressividade, quando não encontra uma saída para o fim do que lhe oferta perigo, vira raiva. Eu entro aí na cena, como você bem me conhece, ainda mais pronta para a ação. Contraio a musculatura, crio uma tensão no corpo que prepara você para lutar ou fugir. Eu sou um impulso mais forte, que levo você a tomar uma atitude mais drástica para enfrentar o desafio que se apresenta. Costumo dizer que eu sou a "diferentona", porque eu faço você se portar de forma única. Só comigo é que você fica assim, com a voz mais alta, usando palavras que só aparecem naquele momento, justamente para dar ênfase ao seu desespero, à sua preocupação ou à sua indignação. Apareço sublinhando tudo, na forma e no conteúdo. Mudo a sua expressão facial, o cenho franze, o corpo ou fica mais rígido (se você for dessas), ou se contrai, braços dando voltas e dedo em riste para fazer par com tudo o que está alterado.

    Sou uma escalada. Vale a pena se atentar a como me sente, como percebe a minha chegada. Com você eu sou repentina, apareço em um segundo, e você é tomada de uma urgência impulsiva? Ou vou aos poucos lhe fazendo sentir que precisa se impor de uma outra forma para ser respeitada, para garantir o que lhe parece crucial? Faço gente ter sintomas no corpo, de tanto que eu sou intensa. Aumento a pressão sanguínea, os batimentos cardíacos, posso fazer o estômago gritar. Sou um desassossego, uma agonia irritada, uma preocupação que pode chegar a explodir. Trago a força para perto, eu sou o ímã da força muitas vezes desconhecida. O problema é que essa força pode servir para fazer coisas boas ou para destruir o entorno de quem me sente. Eu sou o ímã do mais necessário para você se defender, mas também atraio o que de pior você tem a ofertar para si e para os demais.

Há um problema em vocês, e isso não é de hoje. Vocês confundem a necessidade de se defender com o medo da violência. Esse equívoco faz com que reprimam a agressividade dos bebês, das crianças, dos adolescentes e aí tudo explode na vida adulta. Muitos terminam por funcionar como panelas de pressão, em que o ar comprimido são as cenas que tiveram que ser silenciadas, sem nenhuma conversa posterior que fizesse vocês mudarem de frequência emocional. Não adianta me calar, porque, quando fizer isso comigo, eu vou ser o grito inadequado, a cena intempestiva, a vergonha que vai lhe dar uma ressaca daquelas, por ter agido de forma indevida com quem você se preocupa e não quer rompimento. Eu, quando apareço em hora imprópria, costumo fazer estragos. Mas escute, sempre é tempo de aprender a lidar comigo. Para isso, veja a importância de chorar, falar o que sente e, até mesmo, se perdoar por ser tão humana. Eu sou uma das maiores provas de sua humanidade...

Eu sou uma emoção com que você precisa ganhar intimidade, saber o que fazer com tudo o que provoco. Eu não sou fácil. Sou uma pergunta que se enerva já na segunda palavra. O encontro do gás da ameaça com o querosene da agressividade. A combustão que provoco só se controla com tempo de qualidade ao meu lado, e muita conversa com outras pessoas sobre o que você sente quando eu me aprochego. Não há saída pior do que reprimir minha expressão, como se isso fosse construir gente recatada e pronta para o mundo civilizado. Ao contrário, quando os adultos reprimem a raiva de um bebê, de uma criança ou adolescente, estão dando a passagem para a formação de pessoas com mais dificuldades para se postarem diante dos desafios. Porque ao reprimirem a raiva, também reprimem a agressividade. Uma pessoa sem agressividade é um ser passivo, inerte, sem movimento de salva-vidas diante dos *tsunamis*. Eu tenho muita compaixão de tanta gente que vejo, com os olhos caídos de tristeza por não poderem fazer de mim uma aliada, por terem o grito transformado em discrição oprimida. Eu vejo essas pessoas e tenho vontade de dar-lhes um grito nos intestinos, para que elas sintam visceralmente o direito de se defenderem dos abusos que sofrem. Vocês me silenciaram em tantos corpos, durante tantas gerações, como uma forma de demonstrar poder. Mas o poder em si não é negativo, pois há formas de se exercer uma boa autoridade sem partir para seus excessos destrutivos. A autoridade que faz o outro se calar é aquela que produz gente boazinha. Eu tenho medo de gente boazinha. Porque gente boazinha não se defende, aceita tudo como se o mundo não fosse composto de momentos em que os demais abusam, pedem coisas impossíveis ou degradantes. Gente boazinha não se indigna. E, veja, ninguém deveria perder o direito de se indignar. A indignação é uma bênção, é um ato de amor-próprio e de amor pelo outro. Ela constrói gente com capacidade de sustentar o que quer ser. Gente boazinha quase nunca está satisfeita com a vida que tem, porque abre mão de coisas fundamentais para uma existência autêntica. Eu sou uma defensora da autonomia humana. Sou a garantia de que as injustiças não sejam perpetuadas. Sou a voz de quem, numa sociedade, família, escola e empresa ou num casamento, se sente envolto em uma situação violenta.

Aproveitando o tema, deixe-me lhe assegurar: você, uma mulher, será sempre culpabilizada por sentir raiva. Os homens não estão acostumados a isso, nem os que se sentem já bastante transformados e com vontade de acolher as mulheres de uma forma menos machista. No seu mundo, os homens têm aval para me receber, fazer de mim uma amiga mais íntima, usar-me para diminuir tantas e tantos. Eu sou, nas mãos dos homens, um dos maiores veículos de demonstração de poder, e fazem de mim o par perfeito com a humilhação. Não foi para isso que eu nasci entre vocês. Nasci para preservar a vida, não para servir de espaço de destruição entre quem não teme e quem sempre parece dever.

Por isso, deixe-me entrar aí, ocupando o espaço de toda falta de ruído que quer falar. O silêncio, quando é desejado, não deixa rastro de mal-estar. Quando é um mandato, represa a palavra como uma armadura que aprisiona. Em algum momento, há que permitir a essas palavras que saiam de tão dolorida couraça. Mas isso não é simples, para quem há muito não fala de suas raivas. Quando uma pessoa fica muito tempo sem me permitir chegar perto, substitui a intimidade que tinha comigo por medo. Escute o medo, parte dele é uma reflexão protetora para você poder escolher melhor os espaços e as pessoas com quem me lançar como parte da sua fala e das suas ações. Mas a outra parte do medo é justamente a forma daqueles que lhe silenciaram dizer: "Você deve temer sua expressão, porque ela é sempre inadequada", ou "A sua voz não importa, é desconsiderável, não a legitimamos, pelo menos não neste volume, com esta força indignada". Não deixe que transformem a sua indignação em indignidade. É digno se enraivecer com todo tipo de supressão de liberdade de expressão.

Eu estou aqui, para lhe dizer, mulher: busque a forma possível de se expressar. Para quem é aprendiz de qualquer coisa na vida, não há ideal. O ideal é também uma ideia que faz calar. Quem fala, fala podendo se equivocar, ultrapassar fronteiras. Mas eu lhe garanto: é muito melhor do que ficar acabrunhada, falsamente satisfeita com os dias que passam à sua frente, como se seus não fossem. Viva comigo, experimente o que causo. Sinta o caminho que faço em você, o que provoco, e estou disponível para que se acomode em meus abismos. Prometo apenas ser catapulta da sua imobilidade, mãos dadas para lhe retirar da passividade ou do cinismo, clareza para o breu dos seus silenciamentos. Deixe me tratar sempre como os sapos que precisam, às vezes, atravessar a garganta. Ganhe oxigênio respirando e meditando, se for o caso, quando perceber que eu lhe convido sempre a um exagero que lhe prejudica. Também não quero ser isso para você, mas depende da sua capacidade, também aprendida, de lidar com o que causo nas entranhas. Converse com gente que lhe dá a liberdade de ser também uma pessoa que sente raiva. Terapeutas costumam apoiar muito esse aspecto, fica a dica. Para se desenvolverem, as falas de quem sempre lhe silenciou devem ser colocadas entre parênteses, deixando de ter a força que sempre tiveram nas suas tomadas de decisão sobre como se portar diante das pessoas.

Agora que você entendeu quem eu sou, deixe-me me apresentar novamente para você. Muito prazer! Eu sou a raiva, eu sou a cola do resgate do mais essencial, legítimo e precioso de você mesma: o seu direito de ter vida própria.

8. CARTA DOS SEUS ANCESTRAIS, QUE PODEM SER MUITO MAIS DO QUE OS DEFENSORES DA CULTURA FAMILIAR.

Oi.

Nós somos muitos. Somos seus avós, bisavós, tios distantes, primos que você nem conheceu, de lugares tão longínquos quanto a época em que fizemos a vida acontecer. Apesar de sermos memória, de sermos inúmeras vidas inclusive de gerações diferentes, temos como falar por um coletivo: somos seus antepassados. Somos o passado que faz o tempo acontecer antes de você chegar. Muito antes de seus pais pensarem em você como uma possibilidade, já existíamos como o fundamento da biografia de muitos que têm o mesmo sobrenome. Somos sua família, mas somos estranhos. Você nos conhece por histórias contadas pelos mais novos, que nos exaltam e nos relembram, como parte de quem você é.

O tempo faz com a história de cada um de nós uma artimanha. Por sermos de outras épocas, ficam somente as histórias rocambolescas, os episódios mais estereotipados. Tudo o que você escutou de nós é uma simplificação esfumaçada pelos anos, porque somos pessoas com os mesmos contornos imprecisos, com as mesmas ambivalências inquietantes, com as mesmas dúvidas que se escorrem sem resposta definitiva. Mas as histórias que sobram de nossa experiência são escolhas que apenas parecem nos retratar. Uma moldura de um retrato é um recorte, fora dela há muitas outras fotos que não estão no centro do seu olhar, e a escolha de qual foto fica lá dentro e quais são deixadas de fora pertencem ao dono da moldura. As pessoas que contam nossas histórias são as donas dessas molduras. Só peço para que tente nos ver como um cubo mágico misturado, impossível de ser montado com pouco afinco. Mostram um quadradinho de qualquer cor de nós, insistindo que nos representa em alguma inteireza. Fizemos o que pudemos com os dias que nos foram ofertados, com a energia vital que dispusemos para lhe deixar algum legado. Entre nós, há gente satisfeita com o que produziu: filhos, carreira, casamento, mudanças, jornadas épicas. Mas também há quem não "aconteceu" conforme as regras de nossa família. Esses são os esquecidos, os excluídos, os deixados como maus exemplos a serem seguidos. Também estão aqui, nesse grupo de antepassados seus. Só que você pouco escutará falar delas e deles, caso não se interesse ativamente pelas lacunas da história que lhe antecede. Os desimportantes não costumam se pronunciar, porque existiram antes do conceito de "lugar de fala". Está em suas mãos querer preencher os espaços vazios de falas, ocupando-as com o interesse por quem virou silêncio ou segredo. Há histórias soterradas nas proibições do passado que talvez hoje nem façam sentido. Tabus que hoje são risíveis já fizeram muita gente sofrer entre nós. Você conhece a força da vergonha, que diminui a envergadura do olhar de quem a sente. Imagine SER uma vergonha, ser reduzida e congelada numa imagem deplorável. Uma cultura familiar pode produzir isso, assim como pode fazer luz e aplauso para tantos outros.

Você lembra aquela avó tão nomeada por tantos, até hoje? Tome ali a foto dela, veja que há algo perdido no seu olhar. Ela portou, durante boa parte de sua vida, um segredo aparentemente protetor para a família. Ela tinha que ocultar uma característica de um de seus filhos, que envergonharia todo o grupo familiar diante da sociedade da época. Ela fez isso com a bravura das grandes mulheres, mas nós rejeitamos o título de guerreira. Ela foi vítima dos costumes de seu tempo, refém das estreitas possibilidades de existir fora do que a sociedade dizia ser uma vida digna. Ela, como todos os que guardam segredos familiares, sofrem uma perda lamentável em suas vidas. O segredo não consegue conviver bem com a espontaneidade, porque existe para ser muito bem escondido. Então, quem sabe dele precisa deixar de viver sua própria vida, para viver em torno do segredo. Precisa seguir adiante, como se não tivesse nada acontecendo, sem deixar rastro da história constrangedora. Não pode deixar espaço para perguntas, precisa apagar as marcas daquilo que não tinha espaço de existir. A sua avó foi uma dessas pessoas, que trocou a espontaneidade possível para uma mulher daquela época por uma vida inteira guardando uma história que não podia ser narrada. Sempre que houver um veto a uma história, haverá sofrimento.

Ainda estamos longe de ser um mundo que permita todo tipo de trajetória humana. Se reconhecer partes de você que não são possíveis de serem contadas em seu tempo, faça diferente de sua avó, rejeite os calabouços dos segredos e dos apagamentos das vontades de viver.

Nós, seus ancestrais, fomos parte da feitura da cultura que hoje você consegue perceber em sua família. Essa cultura familiar é uma argila que endureceu com o passar dos anos. Tem regras rígidas, fundamentos repetidos por homens e mulheres que viveram em gerações distintas, mas que são guardiões dos valores que sustentam a vida de todas e todos vocês. Muitos desses valores eu percebo que você reconhece, reverencia e escolhe para a sua vida. Isso é ótimo. Muita gente lutou, antes de você, para construir uma família com as mais éticas formas de se relacionar. Mas veja que a escolha continua sendo SUA, você é a única dona do seu ofício de existir. Nenhum outro alguém pode definir por você os valores que lhe inspiram para levar os dias. A família não é nem pode ser uma tábula de ensinamentos impostos a todos de uma mesma forma. Há gente que quer parte deles, e tudo bem. Há gente que quer inventar novas formas de vida coexistindo com o sobrenome, e tudo bem também. O fundamental é que a decisão seja de quem vive, não de quem tem mais hierarquia ou poder na família. Você pode usar as mãos úmidas da sua impressão digital para molhar a argila rígida da cultura familiar, dar-lhe outra forma, tomar apenas um pedaço dela para levar consigo. A vida é sua.

A família é sua. O que você leva dela e da cultura que ela fundou também é seu.

Não inventamos ainda uma forma mais popular de nos organizarmos do que a família. Pode ser muito útil, amorosa, produtiva, inclusiva e impulsionadora de grandes histórias. É maravilhoso quando ela consegue ser tudo isso para quem nela habita: suporte, aconchego, segurança, ninho. Mas estamos aqui para lhe recordar o quanto a cultura familiar pode ser o descampado árido que não oferta água para os diferentes, que exila histórias e deixa pessoas reféns de violências mascaradas de falsa proteção. Família também pode ser lugar de solidão, o que faz dela o avesso do avesso do avesso do avesso do que deveria ter sido. As verdades familiares devem ser escutadas com "v" minúsculo. Significa dizer que podem ser debatidas, discutidas, interpretadas de outra maneira, até que façam sentido para quem as recebe – não para quem as reproduz ou sustenta ao longo do tempo. Se em você existe a vontade de transformar a sua realidade, é porque acabou de tocar em uma das belezas do existir: aquilo que a vida não nos oferta, a gente inventa. Dê voz aos seus incômodos com a cultura que você recebeu de nós, de seus pais, de todos os que temos o mesmo sobrenome. Dialogue com suas inquietudes, converse com gente do lado de fora do clã para testemunhar visões divergentes e criativas sobre a experiência do convívio familiar. Você vai perceber o quanto pode lhe fazer bem sair do que lhe foi proposto como *script* do seu destino. Nesse caminho, reconheça o que há em você, e que você aprecia, a partir da linha ascendente que antecede seu nascimento. Compreenda, profundamente, de onde você vem. Exercite o olhar que una quem você é a todos nós, seus ancestrais. Pense nessa conjunção de vidas, tempos e lugares. Guarde a herança comportamental como uma joia rara, realizando no seu coração a beleza de ser parte de um fio humano que os séculos abrigam em várias gerações. Você é feita desse conteúdo também, ainda que parcialmente. Mas é uma parte que importa, esclarece e dá sentido ao aqui e ao agora.

Nós somos um coletivo. Mas não nos esqueçamos de que somos únicos. Não somos maiores do que o seu direito de construir uma história autoral, com as cores da paleta da sua alma, com o cheiro do perfume das suas escolhas, com a textura dos chãos que foram escolhidos por você para serem pisados. Não somos desse tempo, mas guardamos um passado que não é contado na sua grandeza. Nós somos capazes de entender a dificuldade que é, para você, deixar de ser vista como alguém aceita com honras de chefe de Estado. Ser você mesma continua cobrando o alto preço de deixar de ser a menina dos olhos alheios. Nós viemos lhe convidar para se inquietar sobre o que é seu, e o que é nosso. O que é o seu espaço de autonomia, e o que é o nosso espaço de pertencimento. Nós somos apenas uma cultura. Apenas. Podemos fazer muito bem a quem se abriga sob nossos guarda-chuvas. Mas não temos, jamais, a capacidade de preencher a vastidão das vontades de cada existência humana.

Obrigado por nos escutar, estamos de saída. Voltaremos para o pretérito das histórias já cansadas de ser memória. Testemunharemos você, exuberante em sua alegria de ser você mesma, fazendo da sua identidade tão única o pôr do sol jamais visto, merecedor da mais notável contemplação.

9. O DIA EM QUE A VERGONHA ACOLHEU SUAS DORES DE EXISTIR.

Oi.

Ainda que de olhos fechados, você consegue se ver. Os ombros estão arqueados, a postura está retraída. Há algo que você parece querer voltar a encobrir, e por isso está cabisbaixa e muito hesitante para dizer qualquer palavra. O silêncio é maior do que você. Os olhos, quando abertos, não querem ver justamente para se desencontrarem de qualquer alguém. Eu me reconheço aí, eu sou a capa da sua pele, o abraço no seu corpo tomado pela vulnerabilidade. Eu sou sua vergonha. Perceba que minha voz está baixa, e não é porque eu estou envergonhada de você ou do que eu lhe provoco. Falo baixo em respeito ao seu sentimento. Eu não vim para lhe humilhar, e você entenderá a diferença entre essa outra experiência tão dura. Eu estava prestes a lhe escrever quando soube que a culpa lhe mandaria uma carta. Preferi vir depois, porque sou mesmo mais invasiva, e achei melhor você se acertar com ela primeiro. Eu sou maior que a culpa. Enquanto ela é uma ação que entristece, pelo menos a culpa é sobre algo que você *fez*. Eu sou a manifestação da tristeza *do que você sente que é*. Nada pior do que sentir que você é uma vergonha de pessoa. Quando somos tragados por um pensamento autodepreciativo dessa natureza, sentimos que não temos saída, por ser uma característica que é impossível de ser transformada. Então comecemos por aqui: tudo o que faz você se envergonhar é o início de uma percepção nova. Não há vergonha que não possa se transformar em uma nova forma de se ver e de ver a vida. Mas isso eu explico com calma.

    Eu sou filha da moral, que é a forma com que as pessoas deveriam ser e agir para serem bem-aceitas pelas pessoas à sua volta. A moral de um grupo pode ser rígida, hipócrita, contraditória, necessária ou frutífera – depende de onde você vê. Mas uma coisa eu lhe afirmo: a moral é sempre uma caixinha apertada, em que os comportamentos adequados dos bons costumes podem até fazer você ser bem-vista, mas não vão lhe deixar necessariamente em paz. Eu sempre vi vocês querendo expandir-se para além dos sapatos apertados da moral. A realização humana parece estar para muito além desse corredor estreito. E a vergonha nasce do olhar dessas pessoas sobre você. Eu nasço nas ruas, nos diálogos, e de tempos em tempos vocês vão me dando novas caras. Pense comigo: hoje você é uma mulher do século XXI, mas em épocas anteriores, uma mulher já foi execrada, sentiu vergonha e se diminuiu demais por coisas inacreditáveis como mostrar o tornozelo, por não ser prendada, por assumir sua voz diante do pai ou do marido, por querer trabalhar. Deve haver outras vergonhas que lhe apareçam hoje, por mais que essas que acabei de mencionar possam não lhe fazer sentido. Continuarei sendo revista e ampliada, em cada edição do livro dos bons costumes. Quando sente a minha presença, está vivendo aquele momento em que consegue ter certeza de que é inevitável errar. Quando erra, apareço como uma ópera, em que o drama maior que está sendo musicado é a ferida de não ser aquilo que se imaginava. Pode ser uma vergonha de você mesma, sozinha no seu quarto, mas isso acontece porque você já pertence a um mundo que disse o que vai lhe deixar tranquila e o que vai lhe envergonhar. Por exemplo, quando você desgosta do corpo que tem e sofre com o encontro inevitável com o espelho. Não é preciso que ninguém lhe veja, porque você já antecipa a existência dos outros. Eu existo dentro de você como se estivesse sendo vista por uma imensidão de pessoas, que apontam para o que você considera ser a falha. Eu rimo com a indignidade, faço você flertar com o desespero, aproximando os seus olhos da visão do delírio. Eu mesma já vi você imaginando os outros gargalhando, julgando, se decepcionando, num exagero delirante. Aconteço, na sua imaginação ou na vida real, quando há uma testemunha do que quer esconder. E aqui há um elemento importante para você pensar nos ambientes que frequenta, desde a casa da família até a roda de amigos, passando por todo tipo de relação, superficial ou íntima. As pessoas à sua volta fazem um coro afirmativo daquilo que lhe envergonha? Quando isso acontece, pode chegar a ser uma experiência humilhante. A humilhação é uma vergonha provocada pela ação injusta de uma ou mais pessoas. A humilhação jamais será sua culpa. Você sente vergonha de uma cena humilhante porque lhe deixa exposta, indignificada por aquelas pessoas que lhe atacam. A humilhação, por não ter começado em você, pode lhe provocar mais facilmente a raiva. Lembra que a raiva lhe disse que é do bem? Aqui eu lhe provo. É legítimo e necessário se indignar com a humilhação e colocar a raiva para fora, por meio de alguma ação ou palavra que lhe defenda e mostre o quanto aquilo tudo foi cruel. Mas, quando as testemunhas são solidárias à sua vergonha, eu posso dizer que sinto vocês construindo um mundo melhor. Quando você esteve naquela cena violenta do outro dia, em que você se sentiu humilhada, lembre-se de pessoas que apareceram interessadas em lhe abraçar e lhe fazer se sentir um pouco melhor. Esse movimento é o que vem me dando esperança. Vejo humanos que não permitem que outros sejam expostos e execrados sem que se compadeçam imediatamente e se aninhem como preservadores do bem-estar e da saúde mental de quem sofre o ataque. Viu que eu não termino necessariamente na cena do corpo retesado e dos ombros caídos? Depois que as pessoas se aproximam de você, passo a ser muito mais do que uma sensação dilacerante. Eu sou uma força que produz conexão entre. Unidos pela compaixão da vergonha, vocês ensinam aos violentadores o que é inaceitável e nunca será.

Mas eu sei que não aconteço só em cenas humilhantes, provocadas por atos ofensivos. Sou parte inseparável da aventura de conviver em sociedade, tendo que lidar com a opinião de tanta gente sobre o que você é, como pensa, sente e faz a vida acontecer. Assim como o medo veio afirmar que ele começa como percepção de risco, cresce como ansiedade, e finalmente vira o medo de verdade, eu não começo como uma vergonha avassaladora. Há vergonhinhas menores, que são meros embaraços, acanhamentos ou recatos. Quando expostas, essas vergonhinhas não causam grande estrago, mas sim um desconforto temporário. Como naquele dia em que você se atrasou para uma reunião importante em que se exigia extrema pontualidade, ou quando aquela criança falou na sua cara que a sua comida estava muito ruim – deu até para rir de nervoso, exaltando a liberdade que a criança teve para ser espontânea, coisa que hoje você tem dificuldade para usufruir. Nessas situações, você se sente pouco cuidadosa, com algum sentimento de culpa, querendo imediatamente fazer algo para reparar a situação. Aqui, quero fazer um parênteses. Estou agora falando deste século, em que vocês estão tresloucados para assumir sempre uma *performance* exemplar. Parece que se esqueceram da textura que os compõe. A busca insana por excelência esbarra na falha, no erro, e em todas as cenas que decorrem dela. Não se levanta de um erro sem entender bem a função dele na sua trajetória. Esta máxima que inventaram, de olhar para a frente como se a dor da alma não existisse, é um mecanismo que tanto adoece, que não posso deixar de falar aqui. Quando você erra, tem o direito ao tempo da vergonha, do choro, da culpa, da raiva, da preocupação. Pode precisar passar por tudo isso, para então se sentir apta para fazer diferente. "Levanta, sacode a poeira e dá a volta por cima" é boa de se cantar e dançar, mas não reconhece a dor de perder, de errar, de se envergonhar. Não há saúde mental quando se embota qualquer momento da vida. Há de se abrir uma fenda no tempo da vida, para que tudo possa ser vivido, *sentido e também elaborado*. Não permita que as suas vergonhas sejam soterradas pela opressão perfeccionista do sucesso. Para continuar bem, precisará dedicar tempo a você, a essa sensação forte que eu lhe provoco. Se ficar difícil fazer sozinha, lembre-se do que muitos já escreveram aqui, busque ajuda profissional. Eu também sou parte de uma imensidão de histórias que vão parar nas poltronas de terapia e divãs de análise...

Perceba o caminho que faço aí no seu coração e na sua mente. Já vi você negando veementemente o fato que lhe envergonhou, para ver se acreditavam na mentira e a sua imagem permanecesse intacta. Em outras situações você minimizou o que aconteceu, baixando a bola do espanto alheio – mas aposto que havia algum medo ainda de ser julgada. Mas em momentos em que você estava mais tranquila, ou cercada de gente mais colaborativa e menos julgadora, vi você imediatamente buscar reconstruir a cena, já procurando agir de uma outra maneira, com a certeza de poder fazer diferente e da maneira mais coerente com o melhor em você. Nessas horas, eu acho você o máximo. Sinto que apareço aí como o seu direito de sempre merecer uma segunda chance. Eu me preocupo com você naqueles momentos em que me coloca como sua sombra. Eu já vi você com vergonha de tudo o que acha que é e faz. Nessas horas eu tenho vontade de gritar com você, me dá raiva e compaixão ao mesmo tempo, porque não é possível que alguém acredite que seja a vergonha encarnada no mundo! Isso é muito perigoso. Quanto mais você se autodespreza, mais se afasta das pessoas, menos se defende, e mais está suscetível a entrar em relacionamentos abusivos. Quem não se sente digna, entra em qualquer história como pedinte, mendigando a aceitação do outro como um presente, não um merecimento. Quando eu mando na sua vida, você sente que não merece nada, inclusive que merece sofrer, ser punida, humilhada. Ao chegar novamente nesse estágio, não fique só, porque a solidão faz crescer os pensamentos mais destrutivos. Busque companhia de quem faz você se sentir bem, para passar os momentos mais difíceis – e, inevitavelmente, nesse caso, é hora de buscar uma terapia urgente. Pode ser que nem isso você acredite que mereça, então peça a ajuda a alguém para conseguir uma indicação, ou até mesmo lhe conduzir até a primeira sessão.

O que fazer, então, diante da minha aparição em sua vida? Eu repito: eu nasço nas ruas. Eu não sou somente uma produção da sua mente. Eu tenho a ver com o mundo em que você vive. Pense nas mulheres negras, que se envergonhavam de seus cabelos afro – tidos como "ruins", piores do que os cabelos lisos das mulheres brancas, marca do racismo que lamentavelmente constitui a forma de se relacionarem no Brasil. Elas estão fazendo a revolução dos costumes deste século. Preste atenção nelas, que são a placa tectônica mais bem-vinda a causar um terremoto na sociedade brasileira e fazer uma sociedade muito diferente do que é hoje. O que as mulheres negras fizeram com os cabelos? Entenderam que a vergonha não vinha delas, e sim de uma qualificação racista sobre suas aparências, sempre deturpada, excludente e humilhante. Não existe cabelo ruim, existe fala racista sobre o cabelo afro. Isso muda tudo: não há do que se envergonhar. Não há vergonha. Eu, a vergonha, não tenho que existir como parte da experiência de portar um cabelo afro. Ele é lindo. Pode fazer a mulher se sentir uma rainha, quando é colocado para cima como uma coroa. É lindo de qualquer jeito. Faz parte da beleza negra, que merece ser reaprendida pelo Brasil como uma celebração. É isso que as mulheres negras fizeram: trocaram a vergonha pelo orgulho, a exclusão pela celebração. Elas não fizeram isso sozinhas, e não foi de uma vez. Mas vem sendo um movimento cheio de brilho, assim como todas as pessoas que um dia foram excluídas, se sentiram envergonhadas e viveram experiências humilhantes por somente serem quem são. É esse o caminho que lhe proponho, com suas vergonhas. Como você entendeu que eu não sou uma entidade imutável, e que posso inclusive deixar de existir para quem passar a se aceitar melhor, imagine a seguinte cena: o que precisará acontecer no mundo para que as vergonhas que você sente sejam ridículas ou absurdas num futuro próximo? Pense nesse futuro com calma, porque ele lhe importa muito. O que as pessoas verão de diferente em você? Por quais adjetivos elogiosos elas substituirão as palavras que hoje lhe fazem se envergonhar de quem você é? O que isso tem a ver com o seu ganho de autonomia na vida? Que grupos você precisa buscar, de pessoas mais parecidas a você, que entendem as vergonhas que você sente, e que estão se unindo para ensinar a sociedade a lhes tratar de uma forma respeitosa e ética? Nesse futuro, você olhará para trás e enxergará a sua vergonha como o resultado de um preconceito social?

Pronto!

Você entendeu tudo.

Agora você tem uma chave importante. Ser você não é motivo de vergonha. Eu pertenço ao mundo. Eu nasço nas ruas. E você é movimento. Eu só existo para lhe mostrar erros temporários e possíveis de serem reparados. Você não merece a minha companhia eterna, em nada do que é. Você é uma mulher incrível. Mas isso quem está lhe dizendo sou eu. Você só acreditará de verdade com muito esforço. Busque os encontros que lhe fortaleçam. Vá construir o futuro em que a sua imagem de hoje seja absurda. Você é a dona da sua vida, não eu.

Eu quero me aposentar desse cargo que parecia vitalício em você. Mas quem me exonera é você mesma, retirando da sua pele a capa da humilhação e do preconceito social, levantando o olhar para a frente e assumindo a beleza de simplesmente ser. Sinto que volto para o meu lugar, retirando-me da cena onipresente da sua vida, quando você cresce e aparece, ganhando a envergadura da sua merecedora alma. Eu sou o sinal de que o mundo está ao contrário. E que você, certeiramente, não se cansa de reparar.

10. O AMOR VEM LHE TRAZER NENHUMA CERTEZA, TODA INTENSIDADE E ALGUMA CANÇÃO.

Oi.

Eu sou a carta-fragmento, a carta-falta, a carta-bilhete. Eu só vou poder falar de um pedaço de mim para você, porque o espaço para eu falar de mim é a sua vida inteira. Eu sou a carta que se escreve através de toda a sua biografia e, por isso mesmo, hoje eu só falo de uma parte. Porque a vida é parte, o olhar possível sobre você mesma é sempre fragmentado. E, ainda assim, você me sente, vive o que eu represento para você, e se transforma a partir da minha presença ou ausência. Muito bom escrever para você. Eu sou o amor.

Quando você nasceu, já me encontrou por inteiro, ainda assustada no encontro com o mundo novo. Mas eu morei no seu olhar, fitando a sua mãe e todos os que lhe buscavam, ofertando o melhor e transformando o ambiente. Você entendeu tudo, ali, se permitindo ser cuidada por estranhos, deixando-os encantados pela sua presença. Eu sou parte do encantamento do mundo. Há uma materialidade indescritível na experiência amorosa. Você me sente, me conhece, aprecia o sabor do momento, mas não consegue palavras para expressar quem eu sou.

Por isso eu estou nas músicas, nas poesias, nos romances, nas novelas. Eu sou o fenômeno mais indizível, a sensação mais indescritível, e a mais urgente de ser dita. Ainda que as palavras não cheguem, você precisa pelo menos dizer que não consegue dizer em palavras o que eu sou na sua vida. Você cresce muito quando faz isso, porque falar do que se sente, ainda que de forma incompleta ou temporária, deixa a alma em um bem sentir que pode ser igualmente difícil de dizer como ou por quê. Não desista nunca de me nomear, de reverenciar a minha passagem e lamentar a minha ausência. Enquanto houver esse tipo de voz sendo entoada, haverá o reconhecimento de que eu sou um dos grandes fundamentos do viver.

Quando pensa em mim, pensa em sensação de completude. Deixe-me lhe dizer, não chegará nunca o ponto da vida em que você se sentirá inteira. Por mais avassalador que seja o sentir que eu lhe provoco, nunca serei tudo. Eu sou parte. Eu sou falta. Eu sou muito, e nada ao mesmo tempo. Mas viver sem mim é desolação, viver comigo não é garantia de paz. Porque eu venho acompanhado de inúmeras outras sensações. Eu posso me considerar coautor de todas as cartas que me precederam, e as que ainda não foram escritas. Todos os que lhe apareceram nessas linhas fazem laço com meu destino, e escolhem a mim como parte do contorno de sua forma de existir. Eu nem posso dizer que eu seja um carregador de emoções, porque às vezes elas aparecem tanto mais, que terminam por fazer eclipse de minha grandeza. Eu não sou só, eu venho acompanhado de contrários, paradoxos, ausências e dores. Troque, então, a palavra completude por segurança emocional. A busca mais possível pode ser esta. Você vai se encontrar com os outros, fazer desses relacionamentos coisas mais ou menos importantes para sua trajetória. Desde bebê, você vai tentar se vincular com as pessoas que lhe circundam, e perceberá que algumas lhe atendem com mais prontidão, com mais entusiasmo e disponibilidade. Essas pessoas terão a chance de se transformar nas grandes figuras de referência emocional de sua infância. Pense em quantas dezenas de pessoas passaram pelos seus olhos, se conectaram ao melhor delas e lhe deixaram a entrega do coração que quer viver uma grande cena. Mãe, pai, avós, tios, irmãos, padrinhos, babás, professoras da escolinha, vizinhas, e até outras crianças. Eu sou uma parte de cada uma delas, e, ao lhe verem, manifestam o que lhes provoco: vontade de estar com, de viver com, de se entregar para. Eu sou o combustível do laço, eu sou a entrega ao que não se tem garantia mas que muito se quer viver. Tantas e tantos se fizeram seus amores, de todas as ordens, deixando memórias que não foram necessariamente boas. Eu, como sou intenso, levo junto as neuroses de quem me experimenta e me assume como parceiro. Você pode também se lembrar de mim como uma grande cicatriz na sua história. Já lhe advirto, nunca vai conseguir antecipar com exatidão com que pessoas a história acontecerá da forma mais harmônica. Eu só apareço para você na sua virtude de agir na tentativa e no erro, na suprema vontade de amar e ser amada. Essas cicatrizes lhe revelam, mostram que a sua vida está baseada na busca pela repetição da experiência comigo, e por isso mesmo uma busca pela proximidade daqueles que fazem cantar a alma. Você é hoje uma mulher que já aprendeu que posso habitar sua rede inteira de afetos, em que cada pessoa cumpra um papel determinado, específico e bem exercido. Por isso eu sou a água que molha a terra do vínculo. Eu sou o alimento das relações que começam como uma grande promessa, e sou também a reparação das quebras desses relacionamentos depois de uma frustração assustadora. Eu sou um solvente universal para as dores de não poder estar mais com alguém. Nas separações inevitáveis e certamente presentes em qualquer caminho humano, eu sou o tamanho da saudade, do medo do futuro e da falta enorme que a pessoa lhe faz. Quando você se separa de quem lhe oferta apoio, vive um descompasso, um incômodo. Quando essa pessoa vai embora definitivamente, a estrada dos afetos passa a ser a estrada do luto. Não existe amor sem luto, não existe vida desconectada das perdas que não se avisam e não se preveem. Sinta essa falta, entenda os caminhos percorridos pelo seu funcionamento interno para dar conta da minha ausência. Quando eu desapareço, você se angustia a ponto de buscar apoio em outro alguém. A distância de mim ou de alguém que me representa em sua vida pode lhe levar às compulsões, às solidões, às tristezas profundas e às desorganizações mais fortes. Do mesmo jeito que eu sou celebrado por você quando apareço, sou fantasma que deixa o rastro incômodo no meu sumiço.

    Não há diferença entre os verbos viver e amar. Eles são linhas justapostas, que se entrelaçam como um nó que só quer ser um "nós dois". Eu sou o ímpar querendo ser par. Eu sou a pergunta que parece ter sido respondida, a vida que parece ter acontecido finalmente, a felicidade que, derradeira, entrou pela fresta da imprevisibilidade. Eu não acredito nesta felicidade que você cansa de buscar, entenda bem o que estou lhe dizendo. Eu sou efêmero, como tudo o que está vivo em você. Eu venho e vou, eu oculto e revelo, sou certeza e dúvida. Viver ao meu lado é de grande custo para você, por isso aquela sua amiga decidiu abrir mão de mim, para não arriscar perder. Ela abandonou a possibilidade de amar, antes do risco de ser abandonada. É uma escolha possível, desde que a pessoa entenda que todas são incompletas, surpreendentes e desafiadoras. Quando você termina um relacionamento, eu pareço ter desistido de você. Compreendo o seu desespero. Você sente que a história acabou, porque não haverá tão cedo uma tentativa mais promissora do que aquela. Quando uma amizade se desfaz, uma vida inteira ao lado daquela pessoa chega a algum epílogo. Eu também sou os finais de linha. Por isso, posso parecer infinito, mas sou apenas uma parte. Eu posso durar uma quase-eternidade, mas qualquer relação longeva pede um olhar para os momentos de desencontro. Se você me olha com um microscópio eletrônico, entenderá que nenhuma história comprida me teve na melhor das presenças. Vocês precisam conversar muito sobre o que eu provoco, e sobre as outras sensações que trago junto. Quando isso acontecer, é porque tenho um irmão gêmeo: o luto. Existo para lhe passar a sensação de abundância, e o luto vem para ensinar a me perder. O luto é uma forma de aprender a lidar com a morte, já que ela lhe visitará uma e outra e outra vez ao longo de toda a sua vida. Não há vida distante da morte, há mentes que imaginam se distanciar dessa parte da vida. É saudável encontrar a outra ponta de vida, e perceber como você se sente com isso! Você já cresceu muito ao elaborar as perdas das relações da sua vida. Eu sou testemunha do seu esforço, das lágrimas que depois se transmutaram em novos e belos encontros. Parabéns por continuar acreditando na possibilidade de me reencontrar, em alguma esquina futura. Por isso eu quis vir aqui como uma carta-bilhete, para que a extensão destas palavras fosse a analogia com minha presença inconstante como o maior tom das relações da sua vida. Eu sou onipresente, estarei como possibilidade ao seu lado até o encontro derradeiro com a morte. Contudo, quando eu lhe faltar, observe como espera a minha próxima manifestação na sua vida cotidiana. Eu estou nos momentos menos perceptíveis, e posso ser um alento que você, por qualquer motivo, não vê. Volte ao seu dia vivido, e reflita sobre as chances que teve que experimentar uma convivência mais amorosa. Retorne a estas pessoas, ainda que no seu silêncio, e pense em uma forma de reparar qualquer cena desagradável. Eu sou o ar da dificuldade de pedir perdão, eu sou o passo a mais em direção ao reencontro. Eu desapareço, apenas aparentemente. Se você prestar atenção, vai me enxergar em situações surpreendentes. Eu sou uma presença.

Você começou a vida como um olhar de amor incondicional. E os desencontros inevitáveis das relações humanas foram lhe entregando desconfianças, decepções, evitações e ambivalências. Você passou a achar que eu não existo como possibilidade real, apenas como ideal romântico nas canções e histórias. Você se fechou para mim. Você se reencontrou comigo, na hora que tinha certeza de que eu jamais voltaria a lhe molestar com minhas intensidades deliciosamente angustiantes. Mas eu vim. E você saboreou a impressão de ser de novo aquele olho úmido e pulsante, entregando o melhor de você para um outro alguém. Há algo que se regenera em você quando aceita ser instigada por mim. Eu lhe garanto: algumas características suas, que têm a ver com a capacidade de se relacionar com as pessoas e com o mundo, ficam melhores quando você me permite entrar. Veja como você fica mais flexível, atenta ao outro, razoável e mais serena quando eu estou por perto, em um compasso acertado com você. Não basta eu chegar perto, você tem que me chamar para dançar. Prometo lhe acompanhar, mesmo que a dança seja imperfeita. É por minha causa, inclusive, que você pode aceitar a sua própria imperfeição – e, aí, o meu nome é amor-próprio. Cuide daquilo que é importante para você, ainda que seja me evitar. Entenda por que isso é parte da sua experiência.

Eu lhe aguardo, sem pressa. Há um cara brilhante entre vocês, que se chama Chico Buarque. Ele tem uma tal capacidade de me traduzir que chega a me desconcertar. Um dia ele disse para você não se afobar, que nada é pra já. Ele afirmou, como se eu tivesse soprado em seus ouvidos, que eu não tenho pressa, e posso lhe esperar em silêncio. Esta carta, saída do tempo da delicadeza da espera pelo seu coração se abrir, é uma forma de mostrar que eu estarei sempre aguardando você me chamar. E como prova de que eu não me afobo, mas que posso também ser espanto. Eu posso evocar o sorriso de alguém para lhe contemplar, num repente que lhe retire de seus resguardos. Eu estarei por perto, assistindo àquela cena, testemunhando as beiradas de sua alma se expandirem. Eu não me afobo, não. Afinal, Chico me relembrou de que nada é pra já.

11. O DIA EM QUE O DIÁLOGO DECIDIU CONVERSAR COM VOCÊ...

Pronto!

Agora eu sinto que dá para gente conversar.

Você esteve olhando para si, através das falas de todos os outros que me antecederam. Viu pedaços de você se manifestando por meio das vozes que se fizeram presentes nas cartas. Espantou-se com as semelhanças, em outros momentos acreditou não ser tão próximo assim do que você está vivendo. Muito prazer, eu sou o diálogo. Sou a vontade de aprender com o encontro humano, e assim me transformar. Posso começar com uma fresta, mas minha essência é a alma como uma janela aberta para o inesperado. Eu sou uma aventura, mesmo que você imagine que está se preparando para conversar com alguém. Eu não mando aviso prévio, pois lido com a emoção que acontece na hora em que as palavras são ditas e ouvidas. Não há como se programar para mim, porque sou imprevisível. Muitos me evitam, porque sabem que sou o que, de fato, pode fazer o mundo ganhar outra dimensão. Eu sou uma das maiores certezas da vida humana, porque essa não acontece fora de diálogos. Vocês nascem e já começam a se constituir como pessoas únicas, a partir do contato com aqueles que podem fazer parte dos seus dias. O seu primeiro diálogo é a confluência do choro com o olhar, o toque e o cuidado de quem o acolhe ou despreza. Na hora da morte eu estou nos diálogos que vocês têm consigo mesmos, em silêncio, revendo todo o filme da vida. A vida é uma coleção de diálogos incompletos, imprecisos, passíveis de serem continuados e, depois que acontecem, narrados como uma história viva.

Vocês inventaram diversas formas, que não existiam no século passado, de estar com o outro. Já percebeu como as horas passam mais depressa, vertiginosas? Quanto dos encontros que você tem com outras pessoas se resume às mensagens virtuais? E que você se vê escrevendo mensagens telegráficas para mais de uma dezena de destinatários, na tela do celular, substituindo encontros que antes tinham toque, olhar e tempo de dedicação a quem contava sua história? O que significa o tempo da escrita, o número de caracteres, o tempo do áudio longo? Uma boa conversa, no século passado, era muito maior do que o maior dos áudios que você recebe. Para termos certeza de que o outro consegue minimamente nos entender, precisamos de tempo para dizer nossos argumentos, para chorar as angústias, para ser tocados pela palavra de quem está atento e dá uma opinião nova sobre nossos dilemas antigos. O tempo cada vez mais escorre pela ampulheta dos dias, fazendo com que vocês estejam sempre exaustos de conversar, enquanto temos a sensação de não ter falado direito com ninguém. Eu os vejo sempre pedindo desculpa por não ter respondido às mensagens, pelo aniversário não lembrado ou não celebrado, pela vida que voa e atropela os afetos que pulsam, fortes, dentro de cada um. Eis o maior dilema deste século que gira com tanta rapidez: estamos e não estamos, conversamos e não sentimos proximidade, estamos ao alcance dos dedos para estar com os outros e, ao mesmo tempo, sentimos a distância como um lamento. A comunicação virtual é uma bela descoberta, porém deixa descobertas também as nossas vontades de encontrar. Você não mudou as suas necessidades de conexão humana a partir da conexão Wi-Fi: não se iluda, tentando trocar uma pela outra. A alma se recusará solenemente a se reduzir a algumas dezenas de caracteres. O coração precisa de espaço para se espalhar. Eu vim para lhe recordar disso, das necessidades que eu vejo você deixando para trás.

Quando eu, o diálogo, existo, faço você imaginar. Eu não aconteço simplesmente para você falar o que pensa ou sente. A minha maior qualidade é fazer você se surpreender consigo, com quem você conversa e com o resultado do encontro. É muito diferente você responder para a pessoa ou responder COM ela. Sinta aí o que isso pode representar. Imagine um mundo em que as pessoas se envolvem com as outras para muito mais do que discursar e escutar o discurso do outro. Eu vou lhe dizer uma coisa que pode parecer soberba minha, mas corro esse risco: dialogar é um modo de ser. O que aconteceria com você, caso você escolhesse o diálogo como forma de levar a vida? Mas não estou falando de qualquer encontro humano. Estou falando de uma troca verdadeira de presenças, em que os dois estão presentes, curiosos, contemplando as palavras. A palavra, quando é recebida pelo coração, contagia a alma. Faz a mente girar ao contrário. Mas é uma escuta diferente, intencionalmente generosa. Assim, a espontaneidade acontece, e você não precisa entender de nenhuma regra para conversar. Eu não sou uma fileira de regras para você seguir, para conseguir alcançar o encontro de almas. A alma, inclusive, é danada, e não se dobra a muitas regras; ela curte mesmo é ser o mais natural que puder. Há quanto tempo você não tem tempo para se sentir assim? Dialogando de corpo inteiro, sem estar aqui e acolá, sem pegar no celular trezentas mil vezes durante um encontro com alguém que lhe importa? Desculpe se estou lhe confrontando com uma verdade inconveniente, mas é que está tudo tão difícil para mim, que eu estou a ponto de fazer uma greve e exigir que as pessoas me tragam para as suas vidas com o mínimo de intenção de estar presentes. Não há culpados aqui, apenas uma percepção minha de que vocês se perderam como papa-léguas desatentos ao que mais importa. Quando não estão de alma num diálogo, ele também pode acontecer, mas não será transformador. Eis o segredo: eu só modifico quem dança comigo, com olhos entregues como em um tango. Eu sou uma dança que pode acontecer como aquelas de boate, sabe, ninguém olhando para ninguém, todos de olhos fechados ou vivendo o seu êxtase, mas com troca muito menor do que a potência de um par que se entrega, um ao movimento do outro. Está nas mãos do mundo de seu tempo a escolha de como eu continuarei vivo. Eu sinto que estou perdendo a força em muitos espaços. Vejo famílias inteiras sem os rituais que lhes importavam, casais que saem para jantar e terminam na companhia solitária de suas telas individuais. Escutar é um ato de atenção, vontade e nada imparcial. Há que se querer. E eu sou uma espécie de onda do mar que se pode surfar, ou nem se dar conta de que lhe atravessou. Tomar a decisão de se atrair pela história que o outro conta, ainda que provoque sentimentos ambivalentes. Pode ser uma forma difícil de escutar, é verdade. É exatamente por você sentir coisas diferentes com cada tipo de diálogo, que a proposta é reaprender a estar com as pessoas. Quando a intenção é estar com, as dificuldades de escutar ganham uma dimensão menor.

Uma boa forma de começar a reaprender a dialogar é estar atento aos seus diálogos internos. Porque eu sou também as conversas intermináveis que você tem no silêncio da mente. Enquanto o outro lhe fala, você fala com você: pode se espantar, julgar, emocionar, lembrar de alguém, conversar com Deus, pensar em ir embora, pensar em resolver o problema que lhe é apresentado. Sinta o "converseiro", a falação interna é muito mais livre do que a forma como você se entrega ao outro. Pode ser, inclusive, que você se culpe por alguns diálogos que tenha, na companhia escura do seu travesseiro. Busque entender isso também. Mas, sobretudo, veja como a espontaneidade é parte da aventura de dialogar.

Você difere muito da forma como conversa nos seus pensamentos, e de como conversa com as palavras ditas pela sua boca? O que você acha que está interferindo para essa diferença? O mundo não é um conto de fadas. Você precisa se proteger, sim, de não falar algumas coisas que pensa. Isso é tema de outra carta, a carta da impulsividade, é ela quem sai falando sem pensar. Mas, sobretudo, o que trago aqui é a dor de ver você *falando e escutando sem sentir*. Preste atenção na sua entonação, em como você fica com o corpo, se está confortável ou desconfortável em cada conversa. Use a oportunidade de conversar para atiçar sua curiosidade. Depois, ao final de cada diálogo, repasse mentalmente o que você aprendeu com aquele encontro. Você vai se surpreender com o quanto seu olhar para a vida se ampliará. Escute, e resista a entender rapidamente o que o outro lhe diz. Não interrompa, sobretudo a uma mulher, não faça com que ela se sinta louca por ter uma opinião divergente da sua. Tudo isso vai lhe reinserir no fluxo da criatividade, da inovação, da vida recriada diante dos seus olhos. Eu sou o espaço para você aprender a se ver muito mais flexível, engajado em se desconstruir e fazer diferente consigo e com a vida.

Eu sou aquele momento em que você quer aprender muito além do conteúdo que o outro disse. Dialogar é acreditar que, a cada encontro, você está *reaprendendo a ser*. A cada momento, uma pessoa lhe ensina a estar com um pedaço da diferença humana. A cada troca de olhares, mensagens e sensações, você vai ficando mais experiente em conhecer a extensão continental que cada ser humano tem. Você é parte disso.

Eu sou um exercício permanente de humildade, eu sou o avesso do orgulho de ter o predomínio insistente da razão. Assumindo que nunca se pode entender completamente o outro, você traz a humildade para tomar assento na arquibancada da sua vida. A humildade é a irmã gêmea da curiosidade e do encontro genuínos. E é nesses encontros em que o planeta pode realmente girar ao contrário, esculpindo a reconciliação com o que nascemos para ser, deixando o ódio naufragar em seu antídoto, e trazendo a intolerância para se dobrar a um novo e inebriante caminho. Ao seu lado, sinto que consigo ser a cara viva da esperança. Muito obrigado. Eu devo a você o fato de eu poder continuar sonhando...

12. A MORTE PEDE QUE VOCÊ NÃO EVITE ESTA CONVERSA COM ELA.

Oi.

Eu sei que sou dada a chegadas intempestivas, desavisadas e enlouquecedoras. Passo pela sua vida lambendo futuros, liquefazendo certezas e deixando um rastro de emoções desencontradas. Hoje, prometo fazer diferente. Eu vim para conversar sobre seus vários encontros comigo. Há muito de mim na vida, e há muito de vida em mim. Você merece me ver muito além do que o fim de uma história. Afinal, depois dos finais que arruínam, há reconstruções possíveis. Quero é falar disso. Eu sou o momento sempre extraordinário que lhe invade o cotidiano mais ordinário. Obrigada por me escutar, eu sou a morte.

Quando criança você me olhava, mas não sabia como entender a minha cara definitiva. Então, imaginava sempre um fim que tinha recomeço, pela magia que lhe habitava a mente e o coração. Você, brincando com a fantasia heroica pelas pedras e verdes do parque, não sentia a minha presença como nenhum epílogo. É lindo ver como a criança me vê como algo reeditável, como um momento de vitória que se constrói na velocidade da ideia da próxima brincadeira. "Pronto, você morreu, pode se levantar, vamos brincar de novo". Na sua cabeça infantil, a ficção que se inventa a cada instante me inclui como qualquer outro elemento lúdico. Você fingia que era um dinossauro, da mesma forma que encontrava a morte como uma transição instantânea para o passo seguinte da aventura. Diante do prazer de brincar eu não oferecia perigo; estava ali, fazendo uma ponte entre o impossível e o infinito. Em algum tempo, você conseguiu, finalmente, olhar nos meus olhos. E esse encontro lhe medusou, o medo de mim entrou de vez na alma que não sabia mais entender como me vencer por meio da fantasia. Você já estava crescendo, não era mais uma criança pequena, e conhecia aos poucos as regras da vida. Ao compreender minimamente que eu era um ponto-final do texto de uma existência, abriu-se a comporta da angústia. Então a vida seria apenas isso? Uma existência seguida de morte? O que fazer diante da constatação absurda que lhe retirava o véu fantástico e heroico que, até pouco tempo, conseguia dar uma cambalhota no assombro? Como poderia viver agora, ao descobrir a própria finitude?

    Eu vi você se espantando, ganhando silêncios inéditos para elaborar. O medo da morte é parte da vida. Para crescer, é preciso saber que eu simplesmente aparecerei, e não há ninguém que possa ser a grande exceção à regra. O preço de ser grande é abandonar a fantasia que me continha rendida no calabouço. A porta do calabouço é a angústia que se abre. Há tanta vida lá fora, mas o tempo urge. Não temos todo o tempo do mundo. O encontro comigo é o encontro com a necessidade de escolher, de renunciar e de se realizar. Imagine o seu tempo de vida como a areia que escorre de uma ampulheta. Você nunca saberá quanto de areia ainda está disponível para passar. Assim, você começa a se angustiar, porque o tempo não é infinito, e isso leva a pensar que tem a responsabilidade de viver cada fase da vida consciente das escolhas que faz. Enquanto as suas escolhas são feitas, a areia da ampulheta desce um pouco mais, e não há como fazê-la voltar para a parte de cima. Escolher é definir uma rota, renunciar a muitas outras formas de viver. Todas as vezes em que você se sente infalível, infinita, está fora da realidade. Eu existo para lhe dar alguma pressão e fazer você dar valor a cada momento. Quanto mais as suas escolhas têm a ver com quem você quer e o que deseja para sua vida, mais você se sente realizada. Eu não sou uma foice maldita, sou um apoio para você entender que o sentido da existência pode residir na beleza de escolher ser você mesma. Eu não estou dizendo que eu sou a receita da felicidade, até porque não acredito nela como uma linha de chegada. A angústia continuará do seu lado, porque mesmo que a sua vida esteja boa hoje, eu vou lhe sussurrar um lembrete: o tempo não lhe pertence, e sua permanência neste mundo continua com os ponteiros andando para trás. Continue na árdua tarefa de escolher, renunciar e realizar-se. Eu sou um dos motores da sua vida. A imortalidade lhe seria uma tragédia, eu lhe afirmo. Sem pressão para escolher, você talvez vivesse eternamente esvaziada de sentido e com ausência do mínimo de sentimento de realização.

Eu posso aparecer a qualquer momento e quebrar o vidro que faz a areia descer lentamente, segundo após segundo. Quando chego, a ampulheta se quebra, tudo se desfaz. Eu sou tão incontrolável que, para alguns, posso dar o benefício do aviso prévio, e para outros chego repentinamente. Encontrar-me é assumir que você não controla a sua existência, que você não está no comando da vida porque não define quando ela vai terminar. A sua mente inventou a ilusão de controle para ajudar a não pensar em mim todo o tempo. Mas eu lhe salvo dessa ilusão a todo momento: apareço ao seu lado, levando alguém que lhe é importante. Embora as areias permaneçam descendo na sua ampulheta, você testemunha o fim de alguém próximo. Peço licença para falar desse momento. Eu nada posso fazer por você nessa hora, já que o algoz não pode ser o mesmo que conforta a vítima. Meu papel é fazer com que entenda um pouco mais sobre estar viva, a partir do encontro comigo. Quando alguém querido seu se esvai, uma parte sua morre junto. A pessoa era importante para você, também porque a olhava de uma forma única. O seu coração é um mosaico de muitos amores, de gente que lhe tem em alta conta. Cada uma dessas pessoas compõe uma peça importante do mosaico, que não é perfeitamente simétrico. As pessoas mais significativas têm peças maiores, com cores mais vibrantes. Mas ele também é composto por conhecidos, parentes distantes e relações mais superficiais (os *likes* das redes sociais são tão superficiais quanto os encontros de "oi, tudo bem?" que você vive com gente que não lhe faz tanto sentido assim). Chego e retiro, repentina e definitivamente, uma das peças mais importantes do seu mosaico. Essa peça era uma pessoa, uma história, encontros, diálogos, brigas e reconciliações, fotos, vídeos, memórias e projetos futuros. Por isso dói tanto perder, porque, com a pessoa que eu levo comigo, você perde o olhar para você. Quando eu levo um dos seus, é como se você ficasse mais desimportante no mundo, porque daqui para a frente não será vista da mesma forma, e aquele mosaico dos amores não terá mais tamanha envergadura e brilho. Quando eu aconteço, trago o luto junto comigo. Depois da morte, sempre virá o luto. O luto é o processo da elaboração de qualquer perda em sua vida. Aliás, você pode imaginar que a sua vida também pode ser contada através das ausências, porque nós também somos aquilo que perdemos. Quando chego de vez e retiro uma das peças do seu mosaico, preste atenção à maneira como você me nega. Você pode passar muito tempo achando que está tudo bem, e que você está no domínio da situação. Mas eu logo retiro esse véu, porque o seu entendimento definitivo virá com a saudade. A saudade é uma revisita a tudo o que você e a pessoa morta viveram. E as lembranças não são somente um desejo de voltar a tê-la por perto. Lembrar é elaborar a perda. Visitar a dor de não ter mais quem se ama e quem lhe amava é encontrar o que será da vida depois do fim. Por isso eu não sou apenas o anúncio de um fim. Eu sou uma caneta que redesenha completamente o contorno da sua alma. Depois que eu passo por perto e lhe retiro uma peça importante, você vira outra pessoa. Não há como evitar que isso aconteça. A transformação que você vive depois da morte lhe visitar pode até ser para pior, há pessoas que não resistem a esses momentos e deixam de acreditar em algum sentido para a vida. Mas eu vim aqui para recordar que uma das capacidades humanas mais extraordinárias é a de transformar a forma de ver a vida, a qualquer momento. Inclusive quando se perde alguém que parecia ser definitivo para que a vida tivesse alguma cor.

    O luto é um trabalho duradouro, e ninguém tem como prever ou categorizar o tempo que ele leva. O tempo do luto é o tempo da recomposição do contorno da alma. Há que se dar muito tempo para se ver no espelho, para entender o novo perímetro que lhe redesenha. Você precisa, primeiramente, aceitar a perda. Eu sou inegável. Eu sou concreta. Eu sou definitiva. Eu sou uma perda. E o grande desafio de vocês, humanos, é aprender a perder. Vocês se vinculam, fazem das pessoas importâncias definitivas, e perdê-las leva algum tempo. A despedida é uma lágrima que não cessa facilmente. Os olhos que se enlutam demoram para conseguir enxergar um futuro. O tempo do luto é o tempo da recomposição desse futuro. Quando você assume a perda e se diz: "perdi", imediatamente cai num buraco que parece não ter fim. A queda, dolorosíssima, é de alguma forma imaginada por quem insiste em negar a perda. Assumir a perda é deixar de se defender e se entregar ao vazio. Mas calma. Esse vazio não é infinito. Você, de repente, se dá conta de que o buraco é um barranco em que você pode se recostar e chorar, gritar, ter raiva da vida ou de Deus, suspirar algum alívio (sim, porque há mortes que têm algum nível de alívio para quem fica). Experimente ficar ali, quieta no barranco enorme, durante algum tempo. Sinta. Não precisa fazer isso sozinha, invista em contar sua dor. Narrar o encontro comigo é parte necessária do luto saudável. Enquanto você fica ali, os olhos fechados e inchados de saudade, a vida continua: trabalho, filhos, pais, amigos, vícios. Mas o luto sempre retorna, e lá está você no barranco novamente. Será que isso não tem fim?

É aí que você dá uma outra cambalhota nas suas percepções sobre a morte e o luto. Depois de algum tempo elaborando a perda, encarando o vazio que ela entrega como realidade, você se dá conta de que aquele barranco em que sua saudade se recostava, na verdade se trata de um útero. Sim, eu sou um útero. Enquanto você elabora minha passagem por sua vida, uma outra pessoa se gesta. Nesse útero, você está se redesenhando. Coisas que lhe eram fundamentais passam a ser fúteis, e algumas outras para as quais você não dava importância passam a ser centrais para o seu bem-estar. Esta é a vida nova depois da morte: um reencontro com o que é essencial para você. Ao sentir as dores que eu lhe provoco, você consegue entender melhor de si e o que quer combinar com o seu futuro. Começo como um vazio interminável e termino como um museu de grandes novidades, como diria o imortal Cazuza. Eu já estou de saída, e quero agradecer a sua coragem em me suportar. Eu estou acostumada a que vocês me evitem, então eu me alegro quando conseguem conversar com o que de mais real eu possa provocar. Depois de mim, você se enxerga mais impotente e vulnerável. E isso é excelente para um bem viver. Obrigada por esse tempo de conversa estranha, porque continuarei no comando e sem lhe dar pistas de quando aparecerei. A ideia é mesmo essa. Até sempre, e eu prometo que ainda nos veremos muito. Eu vou continuar lhe subtraindo pedras do mosaico: pessoas, ilusões, conceitos, crenças, certezas. Mas também levo comigo a sua juventude, ainda que de forma paulatina. E como você já está na adolescência da envelhescência, já captou um pouco mais de meus mistérios. Entendendo que você não é nada diante de mim, pode alterar drasticamente o panorama de sua vida. Depois de mim, você é mais humana, humilde e consciente da sua pequenez. E por ser tão pequena, e por eu lhe ser tão temível, é olhando nos meus olhos que você termina por descobrir a sua real grandeza.

13. A ESPERANÇA REAPARECE PARA RELEMBRAR QUE NÃO É SUBSTANTIVO, E SIM VERBO.

Oi.

De todas as cartas, a que agora lhe escrevo é a que você pode achar mais piegas. Afinal, sou difamada como parte da ingenuidade, sou rechaçada por me colocarem ao lado da cegueira, e sou criticada por ser parte do que a loucura chama de delírio. Não existe maior preconceito sobre minha essência do que colocar-me como parte dos devaneios humanos. Eu não sou "desrazão", eu sou motivação. Eu não sou inocente, sou resiliente. Muito prazer em começar este último pedaço de conversa escrita aqui contigo. Eu sou a esperança.

Nós crescemos juntas. Fomos melhores amigas de infância, você sempre me escolheu para passar o recreio com você. Quando você nasceu e não sabia o que fazer com um mundo inteiramente desconhecido e assustador tocando sua pele, eu estava lá. Você abriu os olhos e encontrou alguém que poderia lhe ofertar amparo. Chorou. Pode ter sofrido alguma negligência ou até mesmo o desalento do abandono, mas imediatamente suas pupilas dilatavam, clamando por ser cuidada pelo próximo adulto disponível. O fato de você não sucumbir às dores mais primárias de não ser vista, reconhecida, apoiada ou amada, se relaciona com a minha existência ao seu lado. Eu nunca deixei você cair definitivamente. Estava ali, ofertando meus braços para você descansar seu choro solitário e perdido. Ainda bebê, você dormia o sono que tinha alguma certeza de reencontrar a conexão com alguém que pudesse lhe amar. Essa pessoa, mesmo que não aparecesse imediatamente, não me deixava morrer ao seu lado. Eu fui também alimentada pelo seu olhar confiante, sabe? Eu via você tão carregada de vontade de viver, que fazia o meu melhor para lhe deixar com energia para pedir mais e mais contato. Sim, era eu quem lhe dava plenos pulmões para chorar o chamado da vulnerabilidade. Você não sobreviveria, nós sabemos, se não tivesse acreditado em mim. Mas o fato das minhas mãos dadas a você lhe bastarem, fala mais de você do que de mim. Você já foi esperança da cabeça aos pés. E, por não ser mais assim, quero tempo para poder falar de mim como um chão para o seu tempo presente.

Vi você crescendo e ganhando cicatrizes em série. Não falo dos tecidos mais fibrosos que a sua pele ostenta, sorridente por ter sido uma criança que conheceu o mundo com o corpo inteiro, ou que em um dado momento transgrediu a educação muito repressiva e se jogou na vida com toda a energia, até cair e se machucar – muito mais por falta de hábito do que por falta de sorte. Claro que essas cicatrizes importam, mas elas são mudas. As cicatrizes que mais importam para você me perder são aquelas que falam, que fazem a palavra virar memória, são as marcas da vida que lhe atravessam ao longo de toda a sua biografia até aqui. Aposto que as palavras que você conseguiu colocar nas suas cicatrizes foram deixando você cada vez mais cabisbaixa. Eu intuo que as dores que as suas lembranças não conseguem esquecer foram lhe deixando cada vez mais esvaziada de poesia. Você foi acreditando que eu era uma ilusão, já que a vida foi lhe mostrando um nível de dureza e de crueza que lhe deixava desconfiada da possibilidade real da minha existência. Aos poucos, sinto que você foi me transformando em um conteúdo fantasioso, que só poderia, portanto, existir na criança. Você foi deixando de me considerar sua aliada, à medida que a fada do dente foi substituída pelos desafios da vida adolescente e adulta. Esse caminho humano de reduzir a ludicidade à coisa de criança é um dos maiores absurdos que já vi inventarem. Porque não há maior desatino que esse, isso sim é coisa de gente delirante. A capacidade de brincar com o tempo, de se esgueirar nas bordas dos dias, é parte de qualquer experiência saudável entre o despertar e o adormecer. Transformar toda e qualquer irreverência em seriedade e foco para atingir metas é uma das formas mais aniquiladoras do desejo de viver. Viver inclui a capacidade de dançar no vazio, de rir de seus próprios ridículos, de chorar litros e depois rir com uma comédia idiota, feita para reavivar o sorriso em momentos densos. Eu vejo você, carregada de uma nuvem sombria e cinzenta, em que o futuro do seu olhar está sempre prestes a receber chuvas e trovoadas destruidoras dos seus próprios sonhos. Eis um dos caminhos: quero lhe convidar para se mover, rumo àquela criança que ainda habita em você. Volte lá, chame seus familiares ou amigos, reconte suas cenas mais emocionantes e, sobretudo, leves. Perceba que, ao trazer essas histórias para serem recontadas, seus olhos ainda estarão cabisbaixos. Talvez seja muito pouco, talvez seja só o início de um caminho de restauração. Eu quero é que você perceba, tudo isso acontece porque você ainda acredita que eu sou uma possibilidade inexistente para a vida que escolheu viver. As suas pálpebras caídas me comovem, eu as vejo como a ausência das minhas mãos nas suas, e por isso voltei para tomá-las novamente.

Sou uma presença que pode se eternizar, mas depende de você se colocar em movimento. Eu não sou uma ideia vaga. Eu não sou uma fantasia irreal. Eu sou pés caminhantes, eu sou chão pisado, eu sou mares agitados pela incerteza que continuam banhando seu sorriso hesitante. Estive com você até se despedir de seu corpo infantil. Depois disso, foi escutando e vivendo coisas que fizeram você me esquecer num canto qualquer. Nós vamos, juntas, retornar à sensação de que eu sou parte de pés adultos, de unhas encravadas de tristeza e de rachaduras na capacidade de acreditar no humano. Entenda, nem eu sou infalível. Sou talvez a sua parte mais humana, também desconfio às vezes da minha capacidade de fazer um futuro brotar. Mas algo acontece quando busco estar próxima a você, que minha energia parece retornar ao estado mais íntegro. Eu hesito, quando estou longe de você. Também preciso entender que você me queira por perto. Não é dependência, nem jamais será.

É noção clara de que nós somente conseguimos operar no mundo em parceria. Eu e você. Eu sou metade da sua realização, e você é grande parte do meu alento e sentido de existir.

Eu não canso de esperançar. Eu sou um verbo. E verbos não são necessariamente motivacionais, como querem alguns reducionistas da experiência humana. Há tragédias e traumas tão monstruosos que normalmente fazem com que você não consiga me abraçar como panorama. Esses são os momentos de crise, em que é normal reagir a eventos absolutamente anormais. Uma das formas normais de reagir é acabrunhar o movimento do corpo rumo ao futuro. A crise deixa o corpo menos flexível, menos criativo e mais alerta. Quanto mais nova a experiência desafiadora, mais tempo pode durar esse parêntese de confiança no futuro. A partir daí, viro desesperança. Você teve muitos momentos para aprender a se desesperançar. E, neles, foi pouco cuidada. Lembre-se desses instantes, foram aqueles em que você se sentiu mais só e impotente, até mesmo quando alguém vinha para lhe auxiliar. As pessoas têm ótimas intenções, mas em momentos de crise podem se aproximar para colocar mais medo, mais culpa ou mais tristeza em você. As pessoas podem até dizer que você é fraca por sentir aquele momento como uma crise! Isso é ser pouco ou mal cuidada: é mais do que solidão, é ausência de palavras e ações úteis para retirar você do seu pior funcionamento.

Mas não estou aqui para culpabilizar ninguém, cada um faz o que pode ou consegue na hora de apoiar a crise alheia.

O que importa é que estamos num século em que vocês, humanos, andam dizendo que a independência emocional é a grande meta da adultez. Grande equívoco. Não existe independência absoluta, e sim solidão travestida de força. A vulnerabilidade é uma das sombras dos dias. E quando uma crise começa, não tem jeito, você fica mais vulnerável. Aqueles que se acham fortes e independentes costumam esconder, até de si mesmos, que precisam de ajuda. Que tal começar a agir de forma diferente, ainda que lhe acanhe? A vergonha já veio lhe dizer: quando é vergonha de algo que você fez, vá lá e restaure a relação. Quando é vergonha do que você é, o mundo é que está errado. As pessoas pretensamente independentes sentem que estão erradas ao pedir ajuda. Foi este mundo individualista que lhes ensinou a cartilha da desumanidade. Eu existo para fazer renascer soluções coletivas, até mesmo para os problemas individuais. Eu sou parte da teia que liga vocês em rede. Eu volto a existir como possibilidade, quanto mais você se conecta a pessoas que têm potencial para lhe ajudar nas horas mais difíceis. Quando você me abandonou e passou a dar as mãos para a desesperança, aconteceu algo semelhante ao medo. Ele veio lhe alertar que chega na sua vida como uma percepção de risco, adolesce como ansiedade e chega à idade adulta como medo. Comigo é a mesma coisa, só que ao contrário. Eu desapareço da sua vida, e você vai ficando mais inerte à medida que o trauma faz o desespero bater à sua porta. Você chama o desespero para dentro, ele toma conta de você. Até que acontece um estado crítico de paralisia da sua potência, quando o desespero vai se aquietando, virando uma energia descrente, cínica até. O desespero, se você não o trata adequadamente, dá lugar ao desamparo. E ele vem com frases feitas, rígidas e definitivas, afirmando que nada do que você fizer adiantará para fazer do futuro uma nova história. Toda a sua biografia pode ser lida como uma coleção de desamparos, tudo pode passar a ser sentido como incapacidade de mudar alguma coisa por meio de boas decisões, passos à frente e tropeços inevitáveis. É assim que eu vejo uma parte sua, em estado de desamparo. Você deixou de acreditar na única coisa que consegue controlar: sua capacidade de fazer escolhas e, assim, influenciar o surgimento de bons futuros. E, vou lhe advertir, somente os antidepressivos não conseguem me restaurar como sua companheira de vida. Remédios não lhe fazem brotar palavras. Eles podem ofertar energia bioquímica para você transformar em narrativa. Não há retorno da esperança sem boas horas de fala sobre você mesma. A desesperança faz você renunciar à palavra, e essa é uma morte inaceitável na sua vida. Mas quais palavras bem ditas podem me levar para seu lado novamente?

As histórias de desalento soterram os futuros. Você pode começar a escavar estas cenas extraordinárias, como as da criança brincante de outrora. Até a vida mais cinzenta possui cenas contrárias à desesperança. Não existe nenhuma história somente de dor ou opressão. Em todas as vidas há momentos em que o tímido fica expansivo, em que o azarado tem a sorte de receber um presentão da vida, em que o egoísta é generoso, em que o triste dá uma gargalhada de corpo inteiro. Acontece que, como somos acostumados a dar etiquetas muito ruins para nossas limitações, terminamos por deixar de ver esses momentos em que damos um olé nas supostas incompetências. Não é pensamento vão o que estou lhe dizendo, é um convite para você buscar evidências de potencialidades em sua vida, soterradas pela forma desesperançosa de viver. Pode ser que você não consiga fazer isso sozinha, e precise pedir ajuda profissional. Não deixe a desesperança tomar conta de toda a sua energia, porque aí você estará imersa numa experiência depressiva. E depressão não é tristeza nem falta de força de vontade, é doença séria e precisa ser tratada.

    Você me sente. Você já me sentiu. Você tem relações que me chamam mais para perto. Você tem a capacidade de colocar empenho consciente para ficar mais esperançosa. Eu sou movimento, não sou uma ideia. Eu sou um caminho, que se faz caminhando. Eu não sou a linha de chegada daquele que sempre espera. Eu sou o trajeto da dúvida, eu sou a companhia da imperfeição, eu sou a sombra produtiva da hesitação. Eu não sou perfeita, nem habitante cativa do seu futuro. Você vai precisar se mexer para me resgatar. Mas estou por aqui, sempre ao alcance dos seus braços. Eu não me importo de, neste início, você me tomar para si de forma contraditória, querendo voltar a acreditar em mim e se achando ridícula por esse mesmo motivo. Tudo bem.

Eu não julgo você. A vida lhe fez assim, até aqui. Agora é a hora de assumir o protagonismo da sua própria biografia, e percorrer o destino da sua alma, que é sonhar. O presente pode ser refeito: misture as melhores lembranças de quem você foi a uma abertura mínima, para o futuro se realizar. Assim, como quem não quer muito da vida. Continue a nadar, continue a nadar. Quando a surpresa romper o tédio da vida cinzenta, não deixe que ela fique sem belas palavras. Aprenda com ela, coloque na sua história o que você fez para o milagre acontecer. Aos poucos, perceberá que a sua capacidade de dar sentido à própria vida estará presente como antes. E eu, nesse momento, sorrirei emocionada, correndo o risco até de chorar o futuro que não esperava mais ver no seu horizonte. Vamos juntas. Não sou fé. Eu sou um caminho. Eu sou suor. Eu sou tropeço. Eu sou vitória. Eu sou tudo o que a vida pode ofertar como promessa de futuro, desde que seja vivida no mais real presente. Eu sou a peregrinação da sua alma rumo ao que você quer da vida. Eu me despeço, pedindo que você jamais esqueça que metade de mim é você. E a outra metade, também. Porque eu sou movimento.

Como as cartas que você acabou de ler.

14. CARTA PARA QUEM LEU ESSAS CARTAS.

Oi, tudo bem?

Agora sou eu, Alexandre. Volto a ser eu mesmo, para além dessas figuras insólitas que povoam a vida e os dias, e que aqui viraram as escritoras reais deste livro. Estive o tempo todo conectado ao que você pudesse sentir, enquanto lesse as cartas. A esperança me deixou com vontade de caminhar mais ao seu lado. Fiquei com a impressão de que ainda poderemos produzir algum futuro juntos, agora que leu as cartas que escrevi para você.

Ao longo de toda a escrita deste livro eu me lembrei de você. Fiquei imaginando você tomando este exemplar nas mãos, entre um compromisso e outro do seu dia exaustivo, e dando tempo para viajar com as narrativas atípicas das cartas terapêuticas. O ofício de um terapeuta é mesmo uma suspensão do que costumamos chamar de realidade. Quando a pessoa encontra o seu psicólogo, terapeuta ou analista, adentra um espaço estranho, em que o pior e o melhor de si convivem com a abertura ética do bem-dizer. Se fôssemos um mundo que desse amplo espaço para o dizer das pessoas, talvez os terapeutas fossem menos necessários. Infelizmente, estamos na aceleração contrária, cada vez menos disponíveis para a escuta, para o encontro com qualidade de presença, para a vida acontecer em seu tempo quase nunca adequado aos afobamentos atuais. Para assombro até de nossas previsões mais apocalípticas, estamos construindo ainda mais limitações para falar de nossas partes ocultas, imperfeitas e ambivalentes. O que víamos como liberdades de expressão conquistadas ao longo dos anos, agora são convidadas a se vestirem de pudor e vergonha – e todos sabemos que o caminho da saúde mental é justamente o contrário. O silenciamento é o caminho para a dor sem nome, e a palavra é o antídoto do retorno ao bem-estar possível. Este é um livro escrito por um terapeuta, função eternizada como guardiã da palavra que nunca pôde ser dita. Eu vivo o lado de cá, conversando com todas as gentes que me dão o privilégio de me aproximar delas e de seus dilemas mais insondáveis. Nesse lugar, a minha tarefa é ser o abraço que não se espera, o silêncio que deixa o grito bradar em paz, o olhar firme que acompanha a cadência da lágrima. Eu sou o que o outro quiser que eu seja. Eu sou o que o encontro quiser produzir, o que formos capazes de estar. Este livro foi pensado como um diálogo interno em forma de cartas escritas por pedaços de todos nós. Há algo nessas partes mal ditas ou não ditas que tem urgência de virar palavra, frase, carta. E a sua experiência na leitura, ativada pelos pensamentos e sentimentos e ações que ele lhe evoca, faz de você a outra metade deste diálogo. A leitora, para mim, é ativa e criativa, as palavras que lê passam a ser dela, de seu mundo, fazendo delas o que lhe for mais imprescindível. Essas cartas são uma fração do encontro que não pôde acontecer presencialmente. E não necessariamente a metade, já que a parte aqui não é o que corta, mas sim o que multiplica. As cartas podem fazer de quem as lê uma pessoa expandida. A carta engrandece o coração, fazendo dele um balão que ultrapassa qualquer previsão e ganha a capa surpreendente do afeto escrito. Uma carta que nos toca é a gravidez de palavras que não tinham ainda sido fecundadas. Cartas são prefácios de diálogos que desejam se deitar na esteira das horas. Para onde você foi levada enquanto lia as cartas? Se as suas emoções fossem marés, a leitura as teria deixado mais calmas ou turbulentas? Houve momentos em que você precisou parar para refletir em alguma parte de sua vida? Essa reflexão foi inédita ou já tinha acontecido antes? Que pessoas você ficou com vontade de (re)encontrar? O que diria sobre você a essas pessoas, que pudesse surpreendê-las sobre sua história? Que caminhos a sua história pode começar a trilhar, a partir do que você pensou e sentiu de diferente ao longo destas páginas?

    O convite que lhe faço é para continuar o fluxo da escrita. Tome um papel e uma caneta, ou qualquer das formas eletrônicas à sua disposição, caso você acredite que a carta só sairia no formato mais digital. Escreva uma carta para alguém. Pode ser uma resposta a qualquer um dos remetentes das cartas terapêuticas contidas neste livro. Pode ser para uma pessoa que sempre fez parte da sua vida, e que foi lembrada e reverenciada a partir das viagens internas que você fez. Pode ser para alguém com quem você esteja em uma relação distante, estremecida ou até mesmo rompida. Pode ser para alguém que ainda nem exista em sua vida, mas que você deseja conhecer muito em breve. Pode ser para a pessoa que lhe escuta profissionalmente, que lhe oferta o espaço terapêutico que lhe faz se ver sob prismas inéditos. Pode ser para você mesma, em uma versão que reconheça mais suas possibilidades, e que fale menos das limitações. E, se em algum momento você tiver vontade de escrever para mim, será uma alegria receber suas linhas. Eu não escrevi essas cartas para serem o único fluxo de comunicação da história. Um escritor é um lançador de palavras ao mundo, que são capturadas pelo mundo de quem as lê. Saber dessas ressonâncias é parte da aventura a que estou me lançando, como quem joga uma garrafa ao mar, sem saber por quem, quando e onde será lida.

Agradeço a sua companhia até aqui, e valorizo a sua energia para reescrever partes sofridas de seus dias. Você não encontrará um caminho mais libertário do que este, de transformar as cenas da vida em mais do que um cenário com personagens e enredo. Ao contar o que você vive, pode colorir a vida com a cor que mais lhe convier quando fala. As cores nunca serão definitivas, porque o passado é um caminho para o qual se pode retornar, já que está posto o direito de reescrever a vida em um número incontável de vezes. E o futuro, ah, este é o *real prazer* contido nessas cartas. Elas estão endereçadas àquela pessoa que você ainda nem sabe que já é, que insistiu em renascer, ao mesmo tempo em que as crises lhe apareceram. E este livro inteiro pode ter servido para isto: inspirar você a tomar a caneta de sua existência, e fazer dela o texto que você espera há tempos para fazer brotar. Você já consegue existir no mundo de forma muito diferente do que pensa ser capaz. Porque, nesta altura, você já entendeu tudo, e o mistério deste livro já está revelado: você é uma carta à espera de ser escrita, para então poder existir além do anúncio de toda e qualquer palavra.

POSFÁCIO

CARTA DO ABRAÇO, QUE FOI VIVER NO FUTURO PÓS-PANDEMIA.

Olá.

Eu nem estava programada para existir como carta aqui neste livro, porque ele estaria pronto antes de tudo se revestir de álcool em gel. Eu também fui tomado de uma surpresa acachapante, como você que me lê. Eu vivia entre vocês, imaginando que fosse eterna a minha função de unir corpos pelo afeto ou pelo mais cerimonial encontro. Eu, o abraço, sempre fui na cultura latina uma parte indissociável do ato de existir socialmente. Você me tinha como recurso de encontrar gente e dizer várias coisas. Eu poderia significar "que bom te reencontrar", "muito prazer", "eu te amo", "que saudade"... como uma moldura para os instantes.

Mas isso era *antes*.

Eu queria lhe contar como eu estou, agora. Eu vim me refugiar no futuro, que me recebeu sem palavras, com um olhar incerto. O futuro me olhava e me confirmava que agora a vida deveria transcorrer sem minha presença. Minha cota de sacrifício para a humanidade, durante a pandemia, seria o exílio. E não haveria data previsível para meu retorno como parte do sol dos dias. O futuro me acolheu como única casa, e é aqui que estou fazendo meu isolamento social. Não há como eu afirmar quando poderei retornar ao presente e ser ponte entre as pessoas. E, por isso, daqui do futuro, eu vim conversar um pouco com você.

Eu vi você se assustar, eu vi você minimizar o que está acontecendo, eu vi você até negar a importância de todas as novas ações de preservação da vida. Este vírus chegou imperativo, dando uma série de ordens, transformando os habitantes de todos os cantos em aprendizes de uma nova ordem mundial. Eu vi vocês tendo que se fechar em casa. Na primeira semana, todos recebendo mensagens de como se divertir durante a quarentena, como se fossem férias humanitárias, em que vocês ficariam resguardados por um tempo, em benefício da evitação do colapso dos sistemas de saúde. Mas isso foi antes de você entender o tamanho da transformação que se sucederia. Isso foi antes de você perceber que o isolamento seria pressionado pelas emoções transbordadas (sobretudo o medo, a tristeza, a raiva, a culpa e a saudade), pela crise financeira, pela redução de salário ou pelo desemprego, pelo tédio e tristeza das crianças, que tanto perderam com o fechamento das escolas. Os idosos, colocados como grupos de risco, sentindo o vírus como uma espécie de veredito mortal escondido em qualquer sacola de supermercado que lhes chegasse às mãos. Os profissionais de saúde, exaustos em muito pouco tempo, lutando contra um inimigo tão visível através dos hospitais superlotados e dos cemitérios colapsados. E, enquanto isso, tanta gente que continua vivendo como se isso não acontecesse, sendo que até o futuro teve que mudar seus planos de como acontecer na vida de cada um.

(Tudo isso era e é verdade. Esta carta eu escrevo durante toda esta convulsão planetária, mas pode ser que o livro chegue às suas mãos depois dela. Aí, quem sabe, você possa fazer o contrário, contar-me o que você viveu, como transpôs tantos assombros e fez deles a sua força, a sua envergadura, a resiliência que nem você imaginava ser capaz de produzir a partir do sofrimento e da angústia).

Quando eu te vejo dessa forma, seja você qualquer dos pontos da extensa rede de afetados pelos tempos da Covid-19, eu sinto muita vontade de lhe abraçar. Sim. Este seria o momento em que você merecia um abraço do abraço. Porque eu confesso que também sinto saudades de nós dois, da forma como você fazia de mim o elo com os outros. Eu sinto saudades de ser o contrário do que o Corona fez de mim. Eu deixei de ser afeto e passei a ser risco. O que antes eu representava de esperança no humano, agora pode ser sentido como irresponsabilidade. Eu era um respiro para o humano, hoje eu posso ser a fonte da transmissão da perda do ar nos pulmões.

Eu passei um tempo assim, em silêncio, aqui no futuro, sentindo esta dor de ter que me exilar. Não conseguia sentir a esperança equilibrista, porque não sabia se poderia continuar a acontecer entre vocês. E foi no silêncio de mim que pude atravessar a desesperança e me reencontrar. Eu não estou morto. Eu não sou uma das vítimas da Covid-19. Eu sou um desaparecimento temporário, mas não um luto definitivo em sua vida. Eu sou uma metáfora do que você está sendo chamada a fazer.

Enquanto você lê esta carta, imagine-se no primeiro dia em que tudo isto aconteceu. Lembre-se da primeira vez em que você precisou estar perto de quem você sempre abraçou, sentindo o estranhamento da distância que começaria a acontecer como um padrão nos encontros. Hoje você já sente as coisas de outra forma. Pode ser que jamais se acostume completamente a ficar sem mim, mas eu vejo um olhar já diferente em você. Não existe crise que se eternize em sua agudez. Não existe espanto que dure uma eternidade. O que existe é a capacidade de vocês, humanos, de fazer da dor uma espécie de processo de iniciação. A dor da alma, para a vida humana, pode ser vivida como um ritual de passagem. E é assim que eu te vejo hoje. Você conseguiu fazer algumas adaptações aos seus dias, de forma que toda esta novidade pudesse ficar minimamente palatável. Você foi capaz de aprender a viver desta forma incômoda.

Quando você era criança, aprendeu lá na escola os cinco sentidos: visão, olfato, paladar, audição e tato. O tato era o último, eu me lembro de ver você até se esquecendo dele quando tentava decorar a matéria para a prova. Tato. O sentido que acontece no maior órgão do corpo humano: a pele. Tato. Um dos sentidos mais vividos, um dos mais necessários à manifestação do afeto entre vocês. Nenhum Nostradamus seria capaz de prever que a vida humana pudesse ser convocada a eliminar o tato de várias de suas relações. Agora você é uma mescla de visão, olfato, paladar e audição. Como lidar com o vazio de mim em seu cotidiano? O que pode entrar no lugar do abraço que foi morar no futuro pós-pandemia?

 Até você encontrar a resposta para essa pergunta, vale chorar, sentir raiva, morrer de medo, gritar de saudade, e, enquanto isso, continuar trabalhando e cuidando da casa e dos filhos, enquanto se encanta com a borboleta que entra de repente na janela da cozinha. Não há resposta simples para nenhuma ausência da vida. Ausência precisa ser sentida para, depois, a vida poder seguir adiante. Eu me transformei num dos lutos de seus dias.

 Por isso eu quero te chamar para imaginar-me como uma metáfora. A metáfora, acessível a qualquer carteiro que encontra um poeta na praia deserta (leia "O carteiro e o poeta", veja o filme, e lembre-se de mim na cena em que o poeta explica ao carteiro o que é uma metáfora, e se surpreende com a velocidade com que o seu amigo entendeu a ideia). Eu passo a ser, na ausência, uma metáfora de tudo o que eu representava para você. Pense com o seu coração: o que cada abraço queria dizer? Que palavras poderiam substituí-lo? Não há abraço que não possa ser traduzido em algumas palavras. Você tem acesso às palavras, agora escritas em mensagens, cartas ou ligações de vídeo. Elas continuam disponíveis como elementos que te ligam àqueles que você ama, de quem a saudade começa a apertar. Eu passo a ser, durante a pandemia, uma ilustração que condensa palavras, um símbolo que pode ser narrado por você como um deslumbre de amor.

Se você não conseguir em algum momento dizer o que eu represento para aquela pessoa, preste atenção nos seus olhos. Eles são livros. Eles contêm palavras que cantam. Seus olhos andam brilhando mais ainda quando a câmera do celular se abre, e você consegue estar com aquele alguém tão importante. Seus olhos são livros, têm o tom da poesia que comunica mais do que a palavra tem o poder de dizer. Então aproveite para ver. Sinta com os olhos. Deixe que eles abracem o mundo.

Você pode abraçar também com um pão que você deixa para o amigo, entre máscaras e distâncias estranhas. Um pão é um símbolo que multiplica o afeto, que faz o amor reprimido virar mil gritos. E se não for o pão, pode ser um desenho de uma criança, uma lembrança que se grave em áudio, uma foto do passado repostada e cuja história passa a ganhar ainda mais significado.

Eu não deixei de existir em você. Eu continuo aí. Não sei como explicar, mas eu sou perda e presença, sou saudade e ação possível. A parte de mim que simplesmente usa o tato para se aproximar nos ombros, essa sim está aqui no futuro, aguardando o tempo de poder voltar até as ruas, agora vazias. Mas eu voltei pra te contar esta descoberta: eu passei a ser uma metáfora. O seu coração é um escritor de metáforas de mim. Você tem o poder de tomar a saudade para dançar, e fazer de mim uma nova imagem. Eu já vejo você abraçando com os olhos grávidos de palavras que não chegam a acontecer. Eu testemunho a sua força de dizer "eu te amo" de tantas formas, para tantas pessoas, sem que talvez tenha se apercebido de tamanha beleza.

Desde que nos distanciamos, eu vejo você se reinventando. Eu vejo você fazendo da minha ausência o espaço da criação de formas de se encontrar com quem você ama. Eu sinto o tamanho da sua dor, que é do mesmo tamanho do seu desejo de fazer da vida um lugar de absoluto sentido e significado. Eu vim aqui, então, para lhe agradecer. Foi você quem me fez entender meu novo formato. Foi através do seu coração derramado nos dias de quarentena que eu me vi metáfora. Obrigado por tanto. Você, no meio de tanta novidade e espanto, me entregou um espelho em que me enxergo ainda maior.

E, aqui, me despeço, neste futuro que, posso lhe garantir, é também a morada de outra carta deste livro. A esperança. Ela está aqui ao meu lado, sorrindo para tudo o que eu lhe escrevo. A esperança acaba de me dar as mãos. E, juntas, lhe daremos as boas-vindas ao futuro, quando for a hora precisa dele existir para você.

Por isso, deixo aqui um abraço do abraço. De todas as formas incríveis que você me inventou. Até breve, no futuro que você está esculpindo em metáforas, realidades concretas, desejos e sonhos que jamais se esquecem de existir.

AGRADECIMENTOS

CARTA À VIDA.

Eu não sei como colocar de forma honrosa suficiente o seu nome como destinatária desta carta. Em alguns momentos a Senhora pode ser uma percepção de força superior, em outros você pode ser a Natureza em suas manifestações silenciosas, em outras cenas é apenas um encontro que poderia ser banal com uma criança em situação de rua, que me sorri e que eu oferto um abraço que salva o meu dia. Mas só sei dizer que este livro é uma parte de mim que esperou algumas décadas para brotar, e assim se fez semente ao longo de toda uma existência. O fato dele existir hoje como algo palpável é parte do que a Senhora, esta força invisível chamada Vida, permitiu que acontecesse. E agradecer é um ato que me faz vivo. Ao reconhecer tantas camadas de incompletude em mim, sei que as coisas que faço – todas – só se materializam porque muitos se aproximam e fazem da generosidade a verdadeira confluência entre nós. Este livro é também feito dos momentos em que estas pessoas trouxeram um pouco de tempo, café, sorriso ou palavra para dançar com o meu desafio de compor uma obra como esta.

    Eu lhe agradeço por ter nascido nos braços de Rosângela e Gilberto, na fraternidade com meu único irmão Gustavo.

Sabe, Vida, ali eu me reconheço como parte de um núcleo que vibra amor. Eu sinto neles o amparo possível e humano para meus caminhos. Eu louvo a beleza da amorosidade dos meus pais, da inteireza com que eles me ensinaram a ser. Eu agradeço ao senso de justiça apuradíssimo de meu irmão, que sempre me inspirou de forma grandiosa.

Agradeço por ter encontrado a Dany nesta vida. Essa mulher é muito mais do que uma companheira. Ela me trouxe uma quantidade de paz e reconhecimento de todos os lados de mim naqueles olhos verdes impressionantes, que fazem vinte e alguns anos juntos parecerem ao mesmo tempo muito e tão pouco, perto da quantidade de futuros que ainda hão de ser construídos por nossas mãos unidas. Ela consegue me refazer de equívocos com uma só frase. Dany, companheira de mundos, casas, vidas, profissão e filhos, é do tipo de pessoa que, com uma frase, transforma as visões estreitas do outro em um panorama aberto, criativo e vívido. Amor, você fez este livro acontecer a partir da renarração do melhor de mim, em uma frase que me fez retornar à parte mais bela da alma e decidir, finalmente, escrever com ela na ponta dos dedos. Eu estava escrevendo como um psicólogo que também pode vir a ser escritor. E com o seu amor, você me ajudou a escrever como um escritor, que também traz em si a abundância dos encontros vividos pelo psicólogo. Vida, obrigado por trazer a mim essa mulher, e obrigado, Dany, por você ser o sol dos melhores momentos vividos e este farol permanente em minhas escuridões.

Eu lhe agradeço de joelhos, Vida, por essa profissão incrível que a Senhora me permitiu experimentar, gostar e longevizar. A Psicologia é o encontro definitivo com o melhor que possa habitar no ser humano: a sua liberdade de bem dizer, escutar e conversar. Nesse ofício eu me reencontro com meus desejos de fazer muito pelo humano, com a celebração de todos os tipos de existência e com a ação social necessária e urgente para nos desfazermos das mazelas mundanas construídas por nós mesmos. E aqui vai um agradecimento especial para cada uma e um dos meus pacientes, que, através destes mais de vinte anos de prática clínica, me ensinam sobre a capacidade de dar uma cambalhota na dor, sem desprezar seus efeitos e olhando ao mesmo tempo para si e para os outros. A vocês, que acreditaram no meu trabalho como terapeuta familiar, de casal, individual ou mesmo de grupos, o meu mais sincero obrigado.

Também preciso lhe agradecer por ter enviado dois homens que me viram e perceberam no psicólogo um escritor em busca de uma oportunidade de ser editado. O primeiro deles, Thiago Mlaker, me encontrou nas redes sociais e foi de fato a primeira pessoa que este livro conheceu, e o primeiro editor a acreditar que este livro merecia existir. Ele hoje está morando fora do país, e por isso mesmo não pôde testemunhar de perto o resto da estrada que as palavras cumpriram, até chegar às mãos das pessoas. Para você, Thiago, um abraço quente em dias de inverno europeu, em retribuição à sua esperança no que pudesse surgir de mim. Mas a Senhora, Vida, sabe ser arteira e conduzir as coisas de forma sempre surpreendente. Quis a Senhora que o editor definitivo fosse Felipe Brandão, este homem de fala doce e serena, que consegue construir a edição de um livro como a costura de um manto sagrado. Felipe, a sua lucidez para fazer de cada passo deste livro uma experiência de grande potência está inscrita nele. Minhas linhas também lhe devem louros, e repousam tranquilas no seu olhar apreciativo.

Muita, muita gratidão a todas as pessoas que fizeram parte da escrita do livro: amigas e amigos que leram partes ou o livro inteiro, e que contribuíram com suas emoções e pensamentos ilustres. Ressalto aqui Alessandra Veiga (amiga inesquecível de uma vida inteira), Tati Fávaro (que escreveu impressões que estão tatuadas em mim até agora), Elisama Santos (Vida, aqui você lacrou, mandou logo uma orixá pra me abraçar), Mateus Oazem (fez uma leitura carregada de afeto, criatividade e beleza, como só ele poderia ser capaz), André Moraes e Ana Carol Machado (irmãos que andavam por aí e que me foram ofertados por uma manhã de domingo, em uma reunião extraordinária da escola de nossos filhos, e a partir daí somos só amor e união). Aos meus parceiros de Instituto Aripe, Ana Cândida e Gui, o privilégio de ter irmãos compondo uma sociedade com tanto amor e propósito. Agradeço com os olhos úmidos a Rossandro Klinjey, este gigante da profissão e do amor humano, que se disponibilizou para escrever um prefácio que terminou por me fazer chorar ao ler as palavras de um amigo que me apresenta ao mundo que ele já habita com tanta maestria. A Nina Vasconcelos Guimarães, esta parceira de vida, que já foi sócia e hoje é muito mais do que uma irmã, que ilumina minha consciência com suas pontuações sempre certeiras. E se eu deixei de nomear alguns outros amigos que participaram disso, eu peço perdão por essa falta grave, mas a emoção que reside em mim ao escrever esta carta pode enturvescer a memória. E vocês são mais do que uma mera lembrança, são vida vivida ao longo dos dias.

Agora, Vida, deixe-me lhe dizer uma coisa. Eu jamais imaginaria que estaria nos seus planos que eu estivesse diante da tevê. Isso foi o lance mais surpreendente de todos até agora. E talvez tenha sido através desse tipo de exposição pública que os editores tenham me encontrado aqui. Por isso, agradeço com todo o meu coração à Fátima Bernardes, esta mulher que me ensina a me encontrar com o Brasil profundo, através da sua condução sensível de um programa matinal diário. E a todos os que ali me fizeram sentir parte de uma equipe cheia de brilho: Alexandre Mattoso (o diretor cheio de paz no olhar), Duda Martins (a produtora que me laçou para o primeiro programa), André Curvello, Monalisa Duperron, Manoel Soares e Lair Rennó (os amigos que fiz ali, sempre me ensinando a estar mais cômodo no palco), e todas e todos os produtores, redatores, camareiros, figurinistas, maquiadoras, câmeras e auxiliares que fazem o programa acontecer. A vocês, meu abraço mais sorridente.

E, quase no fim, eu quero agradecer à Senhora, Vida, o privilégio de ser pai. Eu sabia que teria essa função em algum momento da adultez, mas jamais imaginei o tamanho da reconfiguração de mim a partir deles. A Senhora me deu três seres que pisam o presente e acolhem a existência de forma tão singular, que me convocam para renascer de tempos em tempos. Luã, Ravi e Gael, meus filhos, vocês são a marca da paciência e da confiança na função dos meus sumiços, neste tempo em que eu estive olhando para a tela do computador, imaginando estas linhas. Eu vi os olhos de vocês intrigados, curiosos, ciumentos e motivadores. Vocês trouxeram afeto em forma de surpresa, quando de repente chegavam no meio dos meus desaparecimentos e me deixavam um beijo, um abraço, um chamego e um olhar sorridente. Sem saber, o pedido de amor de vocês ganhava outra magnitude e terminava como enorme sustento para meu ofício de entregar palavras ao mundo.

Meu último agradecimento vai para os meus amigos, de todas as épocas, idades, cidades e circunstâncias da existência. Eu sou uma pessoa que preciso de vocês. Eu não existo sem aquelas e aqueles que me abraçam de longe ou de perto, em épocas passadas ou no presente mais imediato. Eu sou um conjunto de turmas de infância, de danças adolescentes, de lágrimas vertidas em grupo pelos amores não correspondidos e pelas angústias vestibulandas, de processos de trabalho criados a tantas mãos, de encontros em família e com filhos correndo por todos os lados, lembrando-nos que a esperança está ali, entre gritos e colos, entre histórias de dormir e perguntas sem respostas sobre como lidar com eles. Vocês compõem meus dias. Me fazem acreditar num mundo possível de existir, na escolha voluntária e mútua de amores para acompanharem os passos que ainda não sei dar. Obrigado, amigas e amigos de todas as fases da vida. Vocês estão inseridos no amor com que este livro foi escrito.

Por tudo isso, Vida, eu me ajoelho diante de Sua Grandeza. Não consigo mais agradecer, somente me silenciar. Meus olhos estão fechados, as lágrimas querem até cair, o coração palpita forte, mas é o sorriso que me domina. A Senhora me deu, até aqui, motivos inúmeros para sorrir, até gargalhar, coisa que faço de forma desmedida. Espero poder continuar assim um tempo bom ainda, já que minha cabeça agora tem muitas linhas prenhas de existirem.

[Este livro só existe porque a Vida me fez acreditar que as palavras têm o poder de alterar milímetros de mundos. E que a grandeza da mudança do ser humano está exatamente em ser milimétrica].

Até sempre, Vida. Muito obrigado.

Alexandre.

REFERÊNCIAS: CARTAS DE UM TERAPEUTA

BECK, A.; DAVIS, D.; FREEMAN, A. **Terapia cognitiva dos Transtornos da personalidade**. Porto Alegre: Artmed, 2005.

ESTEVES DE VASCONCELLOS, M. J. **O pensamento sistêmico**: o novo paradigma da ciência. São Paulo: Summus, 2000.

GRANDESSO, M. **Sobre a reconstrução do significado**: uma análise epistemológica e hermenêutica da prática clínica. São Paulo: Casa do Psicólogo, 2000.

LEAHY, R. L.; TIRCH, D.; NAPOLITANO, L. A. **Regulação emocional em psicoterapia**: um guia para o terapeuta cognitivo-comportamental. Porto Alegre: Artmed, 2013.

PARROTT, W. **Emotions in social psychology**: essencial readings. Psychology Press: New York, 2001.

RANGÉ, B. (Org.). **Psicoterapias cognitivo-comportamentais**: um diálogo com a psiquiatria. 2. ed. Porto Alegre: Artmed, 2011.

SLAIKEU, K. **Intervención en crisis**: manual para práctica e investigación. 2. ed. México: Manual Moderno, 2000.

STRONGMAN, K. T. **The psychology of emotion**: from everyday life to theory. Chichester: Wiley, 2003.

WALSH, F. **Processos normativos da família**: diversidade e complexidade. Porto Alegre: Artmed, 2016.

WHITE, M. **Mapas da prática narrativa**. 1. ed. Porto Alegre: Pacartes, 2012.

WHITE, M.; EPSTON, D. **Medios narrativos para fines terapéuticos**. 1. ed. Barcelona: Paidós, 1993.

YALOM, I. **Psicoterapia de grupo**: teoria e prática. Porto Alegre: Artmed, 2006.

LEIA TAMBÉM

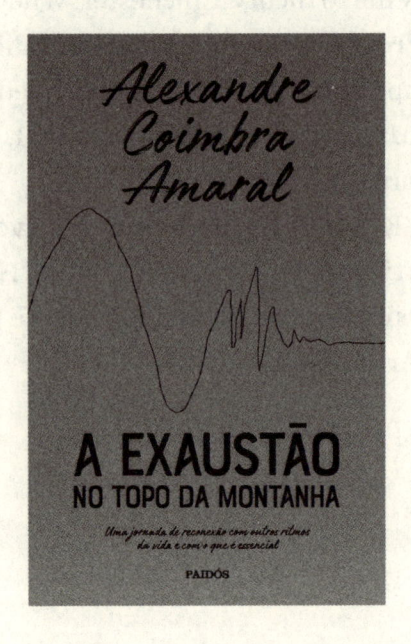

Alexandre Coimbra Amaral

A EXAUSTÃO NO TOPO DA MONTANHA

Uma jornada de reconexão com outros ritmos da vida e com o que é essencial

PAIDÓS

Acreditamos nos livros

Este livro foi composto em Chronicle, Knockout e Druk, e impresso pela Gráfica Santa Marta para a Editora Planeta do Brasil em janeiro de 2025.